Myro
Der g

Dieser Band ist auf 100 % Recyclingpapier gedruckt. Bei der Herstellung des Papiers wird keine Chlorbleiche verwendet.

Der Autor:

Myron Levoy wurde in den dreißiger Jahren in New York geboren und wuchs in einem ethnisch gemischten New Yorker Stadtteil auf. Kindheitserfahrungen aus dieser Zeit fließen in seine Jugendbücher ein.
Zunächst studierte Levoy Ingenieurwissenschaften und arbeitete auf dem Gebiet des Raketenantriebs für die Raumfahrt, bis er sich ganz der Jugendbuchschriftstellerei widmete.
In seinen Büchern stehen menschliche Fragen im Vordergrund, wie die Probleme des Erwachsenwerdens, des Zu-sich-selbst-Findens und -Stehens.
Er wurde für den vorliegenden Band 1982 mit dem Deutschen Jugendliteraturpreis ausgezeichnet.
Weitere Titel von Myron Levoy bei dtv junior: siehe Seite 4

Myron Levoy

Der gelbe Vogel

Aus dem Amerikanischen von Fred Schmitz

Deutscher Taschenbuch Verlag

Titel der Originalausgabe: ›Alan and Naomi‹, erschienen
1977 bei Harper Collins, New York

Zu diesem Band gibt es ein Unterrichtsmodell, enthalten
in LESEN IN DER SCHULE (Sekundarstufen), unter der
Bestellnummer 8102 durch den Buchhandel oder den
Verlag zu beziehen.

Von Myron Levoy sind außerdem bei dtv junior lieferbar:
Drei Freunde, dtv pocket 7866
Adam und Lisa, dtv pocket 78014
Ein Schatten wie ein Leopard, dtv pocket 78026
Kelly und ich, dtv pocket plus 78097

Bearbeitete Neuausgabe nach den Regeln der
Rechtschreibreform
19. Auflage Juni 1999
1984 Deutscher Taschenbuch Verlag GmbH & Co. KG,
München

ISBN 3-545-32199-1
Umschlaggestaltung: Jorge Schmidt und Tabea Dietrich
Umschlagbild: Bernhard Förth
unter Verwendung eines Fotos von Jan Roeder
Gesetzt aus der Monotype Garamond PostScript
11/12½' (Diacos, Misomex 5040)
Gesamtherstellung: Ebner Ulm
Printed in Germany · ISBN 3-423-07842-1

Für das Mädchen mit den dunklen Augen

1

Alan Silverman ließ den Schlagballschläger ein paar Mal scharf hin und her schwingen. Dabei biss er auf seinem Kaugummi herum, als wäre es Kautabak. Es war schon ziemlich dunkel. Alan achtete auf Joe Condellos rechte Hand. Joe hatte so eine Masche, den Ball, ohne lange auszuholen, ganz plötzlich loszuschießen.

Alan brauchte einen Treffer. Den ganzen Nachmittag hatte er keinen Ball sauber getroffen. Er machte noch ein paar Schwünge, so, wie es die berühmten Baseball-Spieler taten. Da kam der Ball, tief und am Mal vorbei.

»Ball zählt.«

»Der ging genau übers Mal«, brüllte Condello.

»Ja, über die Bronx«, rief Shaun Kelly, der Kapitän von Alans Mannschaft; »so weit weg, da hätte noch ein Laster Platz gehabt.«

»Vielleicht schmeißt du jetzt mal einen sauberen Ball, Condello, was?«, rief Alan und wünschte, er hörte sich an wie Shaun. Aber während er es noch sagte, wusste er schon, dass er sich genau wie Alan Silverman anhörte mit diesem unsicheren »Was?« am Ende, das schon eine halbe Entschuldigung war.

»Autos!«, schrie jemand.

Wenn Autos kamen, wurde das Spiel sofort unterbrochen. Alan ging mit den andern zum Gehsteig und verlor sich in Träumereien. Es war im Yankee-Stadion. Er hatte gerade alle Male umrundet und lief locker zur Mannschaftsbank. Über ihm tobte die Menge. Er hatte es geschafft. Die Schlagzeilen der größten Zeitungen der Welt schrien es heraus: AL SILVERMAN BRICHT ALLE REKORDE! EINUNDSECHZIGSTER UND ZWEIUNDSECHZIGSTER ZIELLAUF IN EINEM SPIEL! YANKEE-ANHÄNGER AUSSER SICH! BROADWAY-PARADE GEPLANT!

Aber der wilde Applaus in seinen Ohren verklang, als die Autos vorbeifuhren, und was sich da wie das Stadion vor ihm aufgetürmt hatte, war wieder sein Apartmenthaus »Zu den Eichenterrassen«. Sechs Stockwerke hoch, weder Eichen noch Terrassen, nur Flure und schwere Wohnungstüren aus Metall, braun angestrichen, damit es wie Eiche oder Hickory oder weiche Schokolade aussieht. »Zu den Eichenterrassen« mit dem altmodischen Kronleuchter in der Eingangshalle. Und mit Finch, dem zänkischsten aller Hausmeister in den Vereinigten Staaten.

Die Autos waren weg. »Weiterspielen!«, brüllte Joe Condello. »Es wird dunkel.«

Alan ging wieder zum Schlagmal und schlug mit dem Schläger gegen seine Schuhe, als wollte er Dreck abklopfen. Er stand in Kauerstellung, den Schläger weit zurückgeführt. Joe holte aus, schaute zum ersten Standmal und zögerte.

»Fehler!«, rief jemand.

»Quatsch. Das Spiel ist aus, Punkt!«, schrie Joe. »Und zwar, weil's dunkel ist. Wir haben gewonnen.«

»Was heißt denn das?« Shaun Kelly ging zu Joe. »Wir haben unsere Schläge nicht gehabt. Ihr könnt gar nicht gewinnen, wenn wir unsere Schläge nicht bekommen haben.«

»So was von schade, Kelly. Wenn's dunkel wird, ist das Spiel aus, das ist die Regel.«

Alan warf seinen Schläger zu Boden, als ob er ärgerlich wäre, aber in Wirklichkeit war er erleichtert. Den letzten Wurf hatte er tatsächlich nicht mehr gesehen. Joe war ein Spielverderber wie immer, aber er konnte sich auf die Dunkelheit berufen, und wenn er etwas durchsetzen wollte, war die Sache gelaufen.

Alan versuchte wieder wie Shaun zu klingen. »Und wenn ihr gewonnen habt, na und? Wir haben die letzten drei Spiele hintereinander gegen euch gewonnen.«

»Aber nicht mit fünf Punkten, Silverman. Wir haben fünf Punkte gemacht. Steck sie dir an den Hut. Punkt, Punkt, Punkt, Punkt. Und Punkt. Steck sie dir hintern Spiegel.«

»Ho!«, rief Shaun. »Merkst du was? Er kann bis fünf zählen. Ich hab mal ein Pferd im Zirkus gesehen, das konnte das auch. Ein Unterschied war: das Pferd zählte bis sechs.«

»Halt dein Maul, Kelly. Du und Silverman. Ihr passt zusammen. Du Judenfreund, du.«

Jetzt gib's ihm, dachte Alan, selbst wenn du schwächer bist, selbst wenn ... denk nicht lang, drauf!

Joe spuckte vor Alan auf den Boden. Voller Geringschätzung wandte er sich um und ließ im Weggehen den Ball noch einmal hoch in die Luft springen. Als Alan vorwärts stürzte, griff Shaun zu und drehte ihm den Arm auf den Rücken.

»Lass meinen Arm los, Shaun!«

»Halt's Maul!«, zischte Shaun. »Condello bringt

dich um ... He, Condello, mach dir nicht ins Hemd. Tschüschen.«

»Am Arsch, du mieser Judenfreund!«, rief Joe und spuckte noch einmal aus. Aber er ging weiter. Er war schwerer als Shaun, aber er wusste, dass Shaun der wendigste und raffinierteste Gegner weit und breit war. Joe hatte schon viele Kämpfe gegen Shaun verloren. Schon verloren, bevor er überhaupt sein Gewicht einsetzen, bevor er einen entscheidenden Schlag landen konnte.

Alan bemühte sich freizukommen. »Ich brauche deine Hilfe nicht, verdammt. Lass los, Kelly!«

»Ja, ich weiß, du Saftsack. Du spinnst ja. Vergiss Condello. Will doch niemand wissen. Ich muss jetzt was essen. Hab keine Zeit mich rumzuschlagen.« Shaun ließ los. Condello war außer Sicht.

Alan machte ein paar Schritte zurück, er setzte seine Verärgerung in Abstand um. »Danke vielmals«, sagte er und rieb sich den Arm oberhalb des Ellenbogens.

»Bitte, bitte. Kostet nichts.«

Alan schüttelte den Arm aus und bog ihn ein paar Mal, wie es der Schläger macht, den ein schlecht geworfener Ball am Ellenbogen getroffen hat. Dann nahm er seinen Schläger auf und knallte ihn verdrossen auf die Straßendecke.

»Treffer«, meinte Shaun; »aber du machst noch den Schläger kaputt.«

Schweigend gingen sie in die Eingangshalle ihres Apartmenthauses. Alan stieß das Eisengitter der schweren Flurtür auf und betrat als Erster das Treppenhaus. Die Angeln quietschten beim Öffnen und knarrten traurig, als sich die Tür hinter ihnen schloss; es klang wie das Weinen von Babys oder wie eine gereizte Katze oder ein langschwänziger Dämon.

Shaun wohnte im zweiten Obergeschoss, Alans Apartment war im dritten. Manchmal blieben sie noch eine Weile vor Shauns Wohnung und redeten, bevor Alan weiterging. Jetzt standen sie unschlüssig im Flur.

»Also bis morgen dann«, sagte Alan mürrisch. Sie gingen immer zusammen zur Schule.

Alan ließ den Schlagballschläger gegen die Bodenfliesen klicken. Es gab ein kleines Echo. Er klopfte schneller um es zu überholen.

»Joe Condello macht Brei aus dir. Mühelos«, sagte Shaun. Alan lauschte dem Klicken.

»Du bist leider nicht sehr schlau, weißt du. Vielleicht kannst du's ganz gut in der Schule. Aber du weißt nie, wann man die Finger von was lässt ... Also gut, du bist Jude. Na und? Ich bin Katholik. Du bist also ein Katholikenfreund. Na und? Wen interessiert's?«

Alan sagte leise in das klickende Echo hinein: »Deinen Vater. Der hat das gar nicht so gern, wenn wir zusammen sind.«

»Dein Vater auch nicht«, flüsterte Shaun zurück.

»Ach, dem ist das egal ... Meiner Mutter vielleicht weniger. Ich hab keine Ahnung.« Alan schaute immer noch auf den Schläger, mit dem er weiterklopfte.

»Und? Wir sind nicht ihr Eigentum. Ich mache, was ich will. Und du?«

»Ich mache auch, was ich will ...« Aber stimmt das denn? fragte er sich.

»Na also«, sagte Shaun, als sei damit alles geklärt. »Nacht, Jude.«

»Nacht, Katholik.«

»Saftsack.«

»Blödmann.«

»Tschüs.«

Alan drehte sich um und rannte die Treppe hoch. Vielleicht waren sie tatsächlich richtige Freunde. Darüber hatten sie niemals gesprochen, über Juden und Katholiken und so. Aber es tat einem gut. Es beschwingte Alan, der drei Stufen auf einmal nahm.

Er kam auf seinem Stockwerk an – und erstarrte. Da kniete ein Mädchen und versperrte ihm den Zugang zur Wohnung. Sie riss ein Stück Papier in lauter kleine Fetzen. Es war das neue Mädchen im Haus, die Verrückte von oben. Er hatte sie gestern mit ihrer Mutter unten durch die Halle eilen sehen. Ihre Augen waren so groß und rund und voller Angst, dass das ganze Gesicht nur aus Augen zu bestehen schien. Wie im Kino, in Horrorfilmen.

Nur die Hände waren in Bewegung, rastlos damit beschäftigt, das Papier in winzige Stückchen zu reißen, die wie Flocken auf ihr Kleid und die Fliesen fielen.

Alan dachte daran, wie sein Vater einmal vor dem Haus zu einem halb verhungerten, verängstigten kleinen Hund gesprochen hatte. Das Hündchen hatte die gleichen Augen gehabt. »Hallo ... hallo ...«, sagte Alan. Er machte einen kleinen Schritt, dann noch einen.

Das Mädchen stand auf und drückte sich gegen die Wand. Die Papierschnitzel fielen wie Schnee von ihr ab.

»Ich geh jetzt zur Tür«, sagte Alan ganz ruhig, fast flüsternd. »Einverstanden? . . . Ich wohne hier . . . In Ordnung?«

Das Mädchen schob sich mit dem Rücken an der Wand in die äußerste Ecke. *»Non! Non!«,* rief sie plötzlich und ließ das Stück Papier fallen, an dem sie herumgerissen hatte.

Alan erinnerte sich, dass sein Vater gesagt hatte, das Mädchen sei ein Kriegsflüchtling aus Frankreich; es lebte mit der Mutter oben bei den Liebmans, sie waren irgendwie miteinander verwandt.

Wieder rief das Mädchen: *»Non! Non! Laissez-moi tranquille!«* Es starrte auf den Schlagballschläger.

Alan verstand nur das »Nein! Nein!« und dachte, es müsse wohl der Schlagballschläger sein, der sie so erschreckte. Er legte das abgesägte Stück Besenstiel auf den Boden und ließ es auf die Tür zurollen. Der Schläger surrte über die Fliesen. Das Mädchen starrte darauf, als sei er eine Pythonschlange, die sich zum Zustoßen aufgerichtet hatte.

Ganz schön bescheuert, dachte Alan. Die Kerle haben Recht, sie hat einen Knall. Aber vielleicht . . . wenn ich französisch mit ihr rede?

Er hatte mit Französisch gerade angefangen und kannte nur ein paar Wörter wie »Guten Tag« und »Auf Wiedersehen«, »Wie heißen Sie?« und »Wie geht es Ihnen?«

»Also . . . *Bonjour* . . . *Comment allez-vous?* He? Ich meine . . . *Comment allez-vous?*«

Das Mädchen schaute wild um sich nach einem Fluchtweg. Alan trat etwas zurück und sofort sprang das Mädchen an ihm vorbei, die Treppe hoch zum nächsten Stock.

Was hatte er denn gemacht? Was war denn los mit der Frage: »Guten Tag, wie geht es Ihnen?«

Alan ging zu dem Papier und hob es auf. Es war der Rest einer Stadtkarte von New York. Ein paar sinnlose Linien waren rot eingezeichnet und eine zittrige Hand hatte darüber geschrieben GEHEIME STAATSPOLIZEI. Nach einigem Zögern steckte er das Papier in die Tasche.

Er ging zur Tür und bückte sich nach dem Schläger. Es gab ein kleines klapperndes Geräusch auf den Fliesen und sofort schrie oben auf dem Treppenabsatz eine hohe, klagende Stimme: *»Maman! Maman! Ils sont en bas. Ils sont en bas. Maman! Mamaan!«*

Es war ihm, als hätte er die Stimme schon einmal gehört. Das blanke Entsetzen darin schnitt wie mit dünnen Messern Schatten aus dem Dunkel und füllte die Treppe mit Dämonen, so wie das metallische Kreischen der Flurtür vorhin.

2

Wie gut das war, endlich drinnen zu sein, außer Reichweite dieses Geschreis, endlich hier zu sein, wo es aus dem großen Topf angenehm nach Hühnchen mit Klößen roch. Seine Mutter rief ihn von der Küche aus und ihre Schelte war so anheimelnd und gemütlich wie die aromatischen Dämpfe vom Herd.

»Alan! Warum kommst du so spät? Dein Vater ist zu Hause. Du hast ihn nicht gesehen, als er ins Haus gegangen ist, du mit deinem Baseball. Du siehst nicht einmal deinen eigenen –«

»Schlagball.«

»Schlagball? Auf deinen Kopf sollte man schlagen, ja? Wasch dir die Hände!« Ihr Gesicht erschien im Türrahmen, groß und rund, mit scharfen Falten an den Mundwinkeln. »Dein Vater ist nervös. Der Krieg. Wer weiß. Nu, also sei leise wie eine Maus . . . Warum bist du so rot im Gesicht?«

Alan ging ins Wohnzimmer. Sein Vater stand vor einer großen Landkarte von Europa, die auf dickem Karton aufgeklebt war. Die Karte steckte voller Nadeln, die den Frontenverlauf zeigten.

»Alan . . .«, begann sein Vater. Er schaute auf Alan und schüttelte langsam den Kopf. Dann steckte er einige Nadeln um. »Steht schlecht, was?«, fragte Alan. Ja, es war wieder der Krieg.

»Was soll ich sagen? Es sah so leicht aus. Zu leicht. Eisenhower denkt zu wenig. Er geht zu schnell vor. Die deutsche Front, jetzt hält sie.«

»Tut mir Leid.«

»Was tut dir Leid? Du kannst nichts dafür. Sie haben zu viel Selbstvertrauen, viel zu viel.«

»Ich meine, tut mir Leid, dass ich zu spät zum Essen komme. Aber wir waren gerade mitten im Schlagballspiel, und da –«

»Das Abendessen? Wen interessiert das Abendessen? Deine Mutter ist nervös, vielleicht weil es ihr bestes Gericht ist. Ich? Ich bin zufrieden mit Brot und Wasser, wenn wir nur schon den Krieg gewinnen könnten ... Alan, spiel du nur. Danke Gott, dass du spielen kannst und das Essen vergessen. Danke Gott, sage ich.«

Sie aßen in der Küche. Alans Mutter sagte immer, es mache zu viele Umstände, den Wohnzimmertisch nur für sie drei zu decken. Bei Gästen war das etwas anderes. Außerdem fühlte sie sich wohler am Küchentisch, da war es gemütlicher, wärmer, näher am Herd, und im Hause ihrer Mutter war der Küchentisch immer der Mittelpunkt des Familienlebens gewesen ... In der Küche, da war man richtig daheim.

An diesem Abend schien sie in Gedanken mit ganz anderen Dingen als Kochen und Essen beschäftigt. Sie aß nur wenig. Als sie abräumte, sagte sie: »Jetzt will ich reden.« So, genau so, begann sie immer, wenn sie etwas Ernstes besprechen wollte.

»Was ist es, Ruth, was denn?«, fragte Alans Vater. »Wieder der Hausmeister? Finch?«

»Nein, nein. Nicht Finch ... Du hast deinen Kaffee, Sol. Du hast deine Milch, Alan. Und ich werde reden. Da ist Marmorkuchen, einen Tag alt, aber gut.«

Alan seufzte. Warum musste seine Mutter wegen

jeder Kleinigkeit nur so ein Theater machen? Warum konnte sie nicht klipp und klar sagen, worum es ging?

»Hört zu. Du auch, Alan. Hör zu. Aber lasst mich reden bis zu Ende!«

»Du hast noch nichts gesagt«, bemerkte ihr Mann. »Wenn du anfängst, lassen wir dich vielleicht bis zu Ende reden.«

»Gut. Ihr kennt Mrs. Kirschenbaum und ihre Tochter Naomi, ja? Sie wohnen bei den Liebmans.«

Alan wusste Bescheid. Das war die Verrückte.

»Ihr müsst wissen, sie haben viel mitgemacht bei der Flucht aus Frankreich. Viel. Viel. Sie mussten sich verstecken unten im Abwasserkanal, vier Tage ohne Essen. Immer verstecken und immer laufen. Sie kamen über die Schweizer Grenze, irgendwie. Aber dann hat es noch drei Jahre gedauert, bis die Liebmans sie herholen konnten.«

Ihr Mann unterbrach sie. »Das ist bekannt.«

»Mir nicht«, sagte Alan. »Was ist los mit ihr? Ich habe sie vorhin im Treppenhaus gesehen und sie sieht tatsächlich wie eine Irre aus. Und so hört sie sich auch an.«

»Sie ist nicht irre«, sagte seine Mutter mit Schärfe. »Und lass mich nie mehr hören, dass du das sagst –«

»Also gut. Red schon weiter!«, sagte Sol.

»Also hört zu. Heute habe ich mehr gehört von Mrs. Liebman. Das Kind hat schlimme Sachen erlebt. Das Schlimmste, was es gibt. Die Nazis haben ihren Vater umgebracht, ihr wisst das. Aber hört zu. Sie haben ihn totgeschlagen, vor den Augen dieses Kindes, acht Jahre alt. Diese Tiere . . . Die Mutter kommt heim, von der Nachbarin oder sonst wo, da liegt er im Blut. Das Mädchen daneben. Will das Blut abwischen, als könnte ihn das wieder lebendig machen. Das Kind war von oben bis unten voller Blut. Das Blut ihres Vaters –«

»Gut, Ruth. Wir wissen, was sie für scheußliche Dinge machen.«

Alan versuchte sich das alles vorzustellen, aber es war unmöglich. Er sah nur schwarzweiße Bilder wie in manchen Kriegsfilmen, die er gesehen hatte. Selbst das Blut war grau.

»Ihr Mann war bei der französischen Widerstandsbewegung. Ein Jude. Das genügte ihnen. Sie fanden ihn. Sie schlugen ihn tot. So war das. Aber seine Tochter, Naomi, sie ist nie wieder so geworden, wie sie war. Nicht verrückt. Nur . . . anders. Das war vor vier Jahren. Es ist sehr schwer für die Mutter. Manchmal geht es besser mit dem Mädchen, manchmal schlechter.«

»Ma, sie sah aus – du willst nicht, dass ich es sage, aber mir kam sie wie eine Geisteskranke vor.«

»Sie braucht Hilfe. Viel Hilfe. Ich glaube, sie machen einen Fehler. Das Mädchen herzubringen. In so ein gemischtes Wohnviertel. Keine gute Gegend. Es tut mir Leid, Sol, aber es ist keine besonders gute –«

Er setzte die Tasse ab. »Sag ich was anderes? Wer zahlt die City von New York? Mehr können wir uns nicht leisten. Es tut mir Leid, ich bin nicht der Bürgermeister. Ich bin nur im Archiv vom Meldeamt.«

Alan fand es ganz toll, dass sein Vater mit Geburts-, Heirats- und Sterbeurkunden zu tun hatte, aber seine Mutter klagte oft darüber, dass das eine ziemlich schäbige Stellung sei.

»Sol, ich sage nichts. Ich sage nur, sie müssen bei den Liebmans wohnen. Sie haben kein Geld. Nichts. Sie sitzen hier fest. Sie müssen damit leben.«

»Genau wie wir«, sagte Sol etwas spitz.

»Sol, bitte. Kein Streit. Das Mädchen braucht Freunde. Andere Kinder in ihrem Alter. Nette Kinder. Ein paar nur. Eines! Aber wer ist da? Die Liebmans haben einen Sohn, der ist Soldat, das nutzt uns nicht. Niemand ist da in Naomis Alter. Bevor sie wieder in die Schule geht, sagt der Arzt, muss sie lernen zu spielen. Und vertrauen. Das ist das Wort: Vertrauen.«

Alan spürte, wie sich ein Netz, ein riesiges Fischernetz, auf ihn herabsenkte, und er wusste, er musste sich jetzt ganz schnell in Sicherheit bringen. »Nicht mit mir«, sagte er. »Sie ist ein Mädchen. Und hat eine Meise. Nicht mit mir.«

»Alan, habe ich dich gefragt?«

»Ja.«

»Lass deine Mutter reden, Alan«, sagte der Vater. »Bis zu Ende.«

»Gut, Alan. Ich weiß, dein Baseball ist sehr wichtig –«

»Schlagball!«

»Aber es gibt andere Dinge auf der Welt.«

»Warum gerade ich?«

»Da ist niemand sonst.«

»Nein!«

»Du brauchst nur – hinaufzugehen, einmal am Tag. Nach der Schule. Eine Stunde. Eine halbe

Stunde. Du gehst und du sitzt da. Ganz ruhig. Vielleicht nimmst du –«

»Nein. Nein. Nicht mit mir.«

»Ein Spielzeug, weißt du ... du hast so viele Sachen. Ein kleines Flugzeug hast du, ein Auto. Wir haben alle deine alten Autos, die ganz kleinen –«

»Das ist für Babys. Nein.«

»Alan, ich bitte nicht für mich.«

»Ich mach's nicht. Ich hab sowieso schon genug am Hals. Ein paar von den Jungs nennen mich schon Schisser. Eine Sache kann ich und das ist Schlagball. Das ist das Einzige, wo ich gut bin. Das Einzige. Ich habe einen Freund in der Straße und damit hat sich's. Und der lässt mich dann sitzen. Ein Mädchen! Und dann noch verrückt!«

»Und die Jungen von der Hebräischen Schule?«

»Das ist eine Meile von hier. Freunde eine Meile weiter weg, das gibt's nicht.«

»Sol, sag du etwas! Ich geb's auf.«

»Dad, ich kann's nicht. Das ist nicht fair. Zwing mich nicht, bitte!«

Sein Vater dachte nach und Alan schöpfte Hoffnung. Sein Vater dachte nach statt sofort etwas zu sagen, das war ein gutes Zeichen. Vielleicht verstand ihn sein Vater. »Alan«, sagte sein Vater.

»Wir können dich nicht zwingen. Nein. Du hast Recht. Es ist nicht fair. Und dann: es ist eine heikle Sache. Wie eine Operation. Wer will denn einen Arzt, der das Schneiden verabscheut. Er schneidet dir die Nase ab, vielleicht die Ohren. Den Kopf. Pscht. Einfach so. Weg ... Nein, wir zwingen dich nicht. Aber – erlaube mir ein Aber. In unserem Leben, Alan, manchmal wenn wir jung sind, manchmal wenn wir alt sind, einmal, zweimal in unserem Leben werden wir aufgerufen etwas zu tun, was wir nicht tun können. Was wir nicht tun wollen. Und wir tun es.«

»Also ich nicht.«

»Wir werden sehen ... Warum tun wir es? Es ist ein Geheimnis. Vielleicht um uns zu beweisen, dass wir doch mehr können, als wir uns zugetraut haben. Du hast mich gefragt, Alan, ich weiß es noch, du hast mich oft gefragt: Wie kann Gott zulassen, was die Nazis tun? Was Hitler tut? Wo ist Gott? hast du gefragt. Das waren die schwersten Fragen in meinem Leben. Es ist nicht leicht. Es ist nicht einfach. Wie wenn man fragt, warum Menschen sterben. Du hast gesagt, du glaubst nicht an Gott. Ich weiß, ich habe gesagt, eines Tages passiert vielleicht eine seltsame Sache. Dass Gott dich findet. Unerwartet. Wenn du nicht daran denkst. Kann es sein, dass es das ist, worum es geht? Ich bin ein altmodischer Mann. Ich glaube das. Also wir werden sehen. Ich will nur, dass du an all das denkst heute Nacht. Aber ich will auch, dass du weißt: Ich zwinge dich nicht etwas zu tun, was du nicht tun kannst. Denk darüber nach! Einverstanden?«

»Warum gerade ich?«

»Vielleicht, weil du Glück hast.«

»Genug Philosophie«, sagte die Mutter. »Ich muss Mrs. Liebman irgendetwas sagen.«

»Sag ihr, wir geben ihr morgen Bescheid. Es ist eine schwere Frage. Man braucht etwas Zeit.«

»Gut, Sol. Ich hoffe, du weißt, was du tust. Mit deiner Philosophie die ganze Zeit.«

»Wenn ich das wüsste, wäre ich nicht nur Bürgermeister von New York, ich wäre Präsident Roosevelt. Und der hat eine gescheite Frau. Sie macht dem Präsidenten Vorschläge, was sein könnte, hier oder dort. Sie hält ihm nicht einen Revolver an den Kopf.«

»Hör auf, Sol!«

»Alan, denke darüber nach. Mehr will ich nicht. Wirst du das tun?«

»Ja . . . ja, sicher . . .«

»Mehr will ich nicht.«

3

Alan lag auf dem Bett, das aufgeschlagene Mathe-Buch verdeckt auf dem Bauch. Mathe! Jane ist soundso alt und Tom ist soundso alt und wie viel ist . . . und dieses Auto fährt doppelt so schnell wie jenes Auto und wie viel . . .? Könnten sie es denn nicht ein bisschen interessanter machen? Warum nicht etwas mit Baseball-Daten? Oder mit einer Spitfire, die doppelt so schnell fliegt wie eine Messerschmitt? Alan schaute auf seine Supermarine Spitfire, das Modellflugzeug, das mit einem Stück Drachenschnur an der Decke befestigt war und sich langsam über seinem Schreibtisch drehte. In den Mathe-Stunden hatte er gelernt das schnittige Profil zu zeichnen, das jetzt jede zweite Seite in seinem

Ringbuch schmückte, wo Spitfires in Sturzflügen an den Seitenrändern hinabdonnerten. Manchmal fragte er sich, ob es richtig sei, dass er als Amerikaner britische Kampfflugzeuge den amerikanischen vorzog, sogar der P-40 mit dem wilden Haigebiss unten am Bug. Allerdings, die amerikanische P-40 kam wirklich gleich an zweiter Stelle.

Gab es wohl irgendein Mädchen irgendwo auf der Welt, das nur das Mindeste von Verfolgungsjägern begreifen konnte? Und wenn es plemplem ist, dann doch erst recht nicht. Shaun Kelly und er stritten sich auf dem Schulweg endlos darüber, wer oder was besser ist, die P-40 oder die Spitfire. Die Baseballmannschaft der Yanks oder die Brooklyn Dodgers. Sie sprachen über Schlagball und über ihre Modellflugzeuge. Sie erzählten sich die neuesten dreckigen Witze, die jemand der Klasse mitgebracht hatte. Aber was macht man mit einem Mädchen? Kann nicht mal die Sprache. Zu blöd. Einfach zu blöd.

Sollte seine Mutter doch mit dem Mädchen spielen. Soll sie's doch mal eine Weile probieren.

»Vielleicht, weil du Glück hast?«, hatte sein Vater gesagt. Was für ein Glück? Wahrscheinlich das Glück am Leben zu sein. Das hatte sein Vater oft betont. Oder in Amerika zu sein. Ja, das war wirklich ein Glück. In Deutschland, Polen oder Frankreich geboren – da wäre er jetzt ganz sicher im Konzentrationslager. Oder er müsste sich dauernd verstecken, immer auf der Flucht. Dann wäre er wahrscheinlich ...

Er wollte den Gedanken nicht zu Ende denken.

Er nahm das Mathe-Buch auf und starrte auf die nächste Aufgabe. Wieder so eine Altersberechnung. Wen interessierte das, ob Jack tausendmal älter ist als Mack.

Aber der Gedanke ließ ihn nicht los. Dann wäre er wahrscheinlich wie Naomi. Im Treppenhaus kauernd. Voller Panik vor Schlagballschlägern.

Ihm fiel der Stadtplan ein, den sie zerrissen hatte. Er setzte sich auf und nahm das aufgehobene Stück Papier aus der Tasche. Er wollte die Sache wie ein richtiger Detektiv untersuchen.

Ob diese roten Linien etwas zu bedeuten hatten? Manche endeten in Pfeilen. Das erinnerte ihn an Schlachtpläne, so, wie sein Vater einen hatte. Und die Wörter GEHEIME STAATSPOLIZEI? Das war Deutsch, nicht Französisch. Vielleicht waren Mutter und Tochter Spione? Schon leuchtete vor ihm die Schlagzeile auf: PRIVATDETEKTIV AL SILVERMAN ENTDECKT AUF RÄTSELHAFTER KARTE GEHEIMVERSTECK DER NAZISPIONE IN NEW YORK ... Zeigten die roten Linien vielleicht den Zugang?

Plötzlich wurde ihm klar, was GEHEIME STAATSPOLIZEI wirklich bedeutete. Ihm fiel das Wort Gestapo ein, das die ganze Welt kannte, das war die Geheimpolizei der Nazis. Also waren es doch Spione, Mutter und Tochter?

Aber nein. Ja, wieso nicht? Kann eigentlich nicht sein. Ist auch nicht wahr. Aber einen Augenblick lang wünschte er, es sei wahr und die Karte enthalte geheime Hinweise, New York in die Luft zu sprengen. Aber nein, natürlich waren das keine Spione, es waren Opfer. Die Wörter hatte das Mädchen in Todesangst auf den Stadtplan geschrieben, aus irgendeinem wahnwitzigen Grund.

Dieses Gesicht. Ob sie wohl je lächelte? Er versuchte sich das vorzustellen, aber es ging nicht. Hockte sie tatsächlich die ganze Nacht in einer Zimmerecke um Stadtpläne zu zerfetzen? Hörte sie wohl jemals Radio? Las sie Bücher? Sang sie nicht manchmal, war sie nie lustig oder fröhlich in Gesellschaft? Na, genauso gut kann man tot sein.

Alan ging zum Fenster und schaute auf die Wohnungen auf der anderen Seite des Hofes. Nach so vielen Jahren kannte er alle Fenster. Die Liebmans hatten die zwei Fenster oben links. Ein Fenster war hell, das andere dunkel. Und in dem dunklen Fenster erkannte er das hinausstarrende Mädchen.

Es war, wie Alan wusste, das Schlafzimmerfenster. Die Schlafzimmer aller Wohnungen lagen übereinander genauso wie die Wohnzimmer.

Er winkte dem Mädchen, aber es verharrte unbeweglich. Ob es ihn gesehen hatte? Er war eigentlich überzeugt davon. Naomi blickte genau in seine Richtung. Er winkte wieder. Warum winkte sie nicht zurück? Wovor hatte sie jetzt Angst? Ein ganzer Hof war doch zwischen ihnen.

Vielleicht dachte sie gerade an ihren Vater, der in seinem Blut lag. Alan versuchte sich auszumalen, wie sein Vater am Boden liegt, blutend und sterbend, aber es gelang ihm nicht. Er schaffte es einfach nicht. In seiner Vorstellung zuckte sein Vater und verzog sein Gesicht und spielte nur den Verwundeten, um Alan zum Lachen zu bringen.

Wenn ich sie nur zum Lachen bringen könnte, dachte er, jetzt, an Ort und Stelle.

Er schaute sich im Zimmer um. Was hatte er denn Lustiges vorzuzeigen? Sein Modellflugzeug, die Spitfire? Nicht besonders komisch, erschreckt sie unter Umständen. Kein Kriegsspielzeug ... Seinen Zauberer-Zylinder und Schnurrbart? Vielleicht ja, vielleicht aber auch zu riskant.

Alan machte den Schrank auf und wühlte in den Resten uralter Spielsachen. Ein selbst gemachtes Segelboot. Nicht komisch. Der Lötbaukasten. Passt nicht. Ein Baseball-Handschuh, »Der kleine Gipsbildhauer«, Müllauto, die geborstene Ukulele. Alles nicht zu brauchen. Dann sah er in den Trümmern plötzlich Charlie, seine alte, angeschlagene Bauchredner-Handpuppe. Charlie konnte man zum Reden bringen, man brauchte hinten nur an einer Schnur zu ziehen, dann fiel der Unterkiefer hinab oder hob sich. Allerdings ging der Kiefer nicht mehr auf und der Kopf war schon halb abgetrennt. Aber mit Charlie könnte es gehen.

Alan brachte die Puppe zum Fenster und hielt sie noch unter der Fensterbank. Naomi schaute immer noch her. Langsam schob er die Puppe höher und ließ sie hinüberwinken. Er wartete und winkte nochmals.

Unvermittelt verließ Naomi das Fenster. Alan seufzte und ließ dann Charlie sprechen, so, wie er es nach dem Vorbild berühmter Bauchredner schon vor Jahren gemacht hatte, nachdem er die Puppe zu seinem achten Geburtstag bekommen hatte.

»Ich glaube, die Show war ein Reinfall, Mr. Silverman«, sagte Charlie.

»Ach, Charlie«, sagte Alan, »man muss auch mal verlieren können.«

»Sehr richtig, Mr. Silverman. Bin immer für Sie da, wenn Sie eine auf die Nase haben wollen. So bin ich nun mal.«

»Halt den Mund, Charlie, oder du kommst zurück in den Schrank –«

Alan unterbrach sich. Naomi war wieder zum Fenster gekommen und hielt auch eine Puppe hoch. Und sie ließ die Puppe winken.

Alan hob Charlie ganz hoch und bewegte dessen Arme wie wild. Die Puppe drüben winkte noch einmal, bevor sie mit Naomi im Dunkel verschwand.

Alan wartete eine Weile, aber sie kam nicht zurück.

»Was sagen Sie jetzt, Mr. Silverman?«, ließ Alan die Puppe fragen.

»Weiß nicht«, sagte Alan, »war nicht unflott.«

»Nicht unflott?«, rief Alan für Charlie. »Das war ein Hammer. Sie hat zurückgewinkt. Das war ein richtiger Gruß.«

»Ich weiß«, sagte Alan.

»Also, was kratzt Sie?«, fragte Charlie.

»Du weißt, was mich kratzt. Jetzt haben wir sie am Hals. Das kratzt mich. Jetzt müssen wir mit ihr spielen.«

»Wieso?«, fragte Charlie. »Ich hasse Kinder. Ich kann nur mit Stars, verstehen Sie, mit süßen Pin-ups. Sie kennen mich. Mich, Charlie. Lassen wir sie fallen, Mr. Silverman, wie eine heiße Kartoffel.«

»Geht nicht.«
»Wieso nicht?«
»Weil sie uns braucht. Klar? Du weißt, dass sie uns braucht.«
»Wenn Sie meinen, Mr. Silverman.«
»Ich sage dir, sie braucht uns.«
»Und ich sage, Sie sind ein Saftsack.«
»Halt dein Schandmaul.«
»O. K., Silverman, du bist der Boss.«

4

Alan nahm den schweren Packen Bücher abwechselnd unter den einen oder anderen Arm, als er mit Shaun zur Schule ging. Shaun erklärte ihm seinen neuen Plan für das Schlagballspiel am Nachmittag. Er nannte ihn den »Kelly-Kniff«. Es ging darum, einen der Feldmänner weiter vor ins Feld zu ziehen, um die heimtückischen Kantenschlagbälle abzufangen, die beim gestrigen Spiel so viele Läufe möglich gemacht hatten. Aber Alan hörte gar nicht hin.

Er war über das Verhalten seiner Eltern beim Frühstück beunruhigt.

»Hat das Gericht ein Urteil gefällt?«, hatte sein Vater gefragt.

»Ja«, hatte Alan geantwortet.

»Und?«

»Und . . . ich glaube, ich muss es wohl machen.«

»Heißt das Ja, sag mir das bitte«, hatte die Mutter gesagt, »oder heißt es Vielleicht?«

»Es heißt Ja.«

Sie hatten ihn beide wortlos angesehen. In den Augen seiner Mutter glitzerten Tränen. Sein Vater legte ihm von hinten kurz die Hand auf die Schulter und ging aus der Küche. Das laute Naseschnäuzen aus dem Wohnzimmer bestätigte Alans Verdacht, dass auch sein Vater weinte.

Sein Vater weinte nicht leicht, das wusste Alan. Er hatte es vorher nur zweimal gesehen. Einmal vor vielen Jahren, als Alans neugeborenes Schwesterchen nach drei Tagen im Krankenhaus gestorben war. Das andere Mal im Kino, als in einer Wochenschau gezeigt wurde, wie Nazi-Soldaten polnische Juden mit Armbinden grob in Lastwagen stießen.

Es beunruhigte Alan. Wenn das so wichtig war, was geschah, wenn er versagte? Was würde passieren, wenn er einmal etwas Falsches sagte oder vielleicht, aus Ärger, einmal mit dem Mädchen schimpfte? Vielleicht machte er es noch verrückter? Na und dann? Was würden die Eltern sagen?

»Sag mal, Al, hörst du überhaupt zu?«, fragte Shaun.

»He?«, sagte Alan verwirrt.

»Da kann man doch verrückt werden. Was hältst du von dem Plan?«

»Ein Plan?«

»Der Kelly-Kniff.«

»Ach ... Klasse! Große Klasse ... Du, hör mal, Shaun. Hab's vergessen zu sagen, ich kann heute Nachmittag nicht. Ich muss ... eh ... da was erledigen.« Konnte man ihm denn etwas über Naomi erzählen? Alan wusste es nicht.

»Und wer fängt all die Querschläger?«, fragte Shaun.

»Weiß nicht ... Tony! Der ist gut. Und schnell.«

»Was zu erledigen. Kannst du das nicht nach dem Spiel machen? So um sieben herum?«

»Nein. Ich hab's ... ich hab's für vier Uhr versprochen.«

»Warum?«

»Ich muss später die Hausaufgaben machen.«

»Du und deine Hausaufgaben. Lass die doch mal sausen. So wie ich. Wenn ich keine Lust dazu habe, dann habe ich keine Lust.«

»Meine Eltern wollen's.«

»Ich denke, du machst, was du willst?«

»Na ja, ich glaube ... Hausaufgaben machen mir einfach Spaß.« Hausaufgaben, das wusste er, waren unumgänglich. Das stand zu Hause einfach außer Frage. Hausaufgaben sausen lassen, das war wie Schuleschwänzen oder Bonbons im Laden klauen.

»Du bist ein Streber«, sagte Shaun. »Du willst einfach Klassenbester werden. Das ist eine deiner schlimmsten Seiten.«

»Ich muss meine Hausaufgaben machen, da gibt's nichts. Ob ich Klassenbester bin oder nicht, lässt mich kalt. Was gibt's sonst noch für schlimme Seiten?«

»Hab ich ja gerade gesagt.«

»Du hast gesagt ›eine deiner schlimmsten‹.«

»Ein paar von den Jungen sagen, du hast Schiss. Ich ja nicht. Aber andere sagen's.«

»Gestern hast du mich noch bei Condello festgehalten und heute sagst du –«

»Ich doch nicht«, unterbrach ihn Shaun. »Andere.«

»Wer?«

»Unwichtig. Kannst du dir doch denken. Und wen interessiert denn, was die sagen, oder?«

»Und sonst?«

»Was sonst?«

»Meine schlimmen Seiten.«

»Keine mehr.«

»Hör mal, weil ich lerne und mich anstrenge, sagen da welche, ich hätte Schiss?«

»Genau.«

»Mir soll's recht sein. Ich lerne halt und es ist mir egal, was andere davon halten. Ich jedenfalls weiß, ich hab keinen Schiss.«

Alan sagte es mit Nachdruck um Shaun zu überzeugen, aber er überzeugte kaum sich selbst. Er hatte Angst vor Joe Condello, Fred Kleinholtz und ein paar andern. Vielen andern. Aber Schiss hieß ja nicht einfach Angst haben, es hieß feige sein. Er aber, er würde kämpfen. War es ihm vielleicht recht gewesen, dass ihn Shaun gestern festgehalten hatte? Nein . . . oder jedenfalls . . . nicht sehr.

»Also gut. Vertrauen gegen Vertrauen«, sagte Shaun. »Und was hast du an mir auszusetzen?«

»Nichts.«

»Los, mach schon. Ich will's wissen.«

»Also gut. Du bist ja ganz gerissen. Aber lernen tust du nichts. Was sagst du jetzt?«

»Stimmt genau. Weil ich nämlich Elefanten-Trainer werde.«

»Flugkapitäne brauchen die College-Reife.«

»Wer sagt das? Außerdem, das war vorige Woche. Ab jetzt will ich Elefanten dressieren.«

»Spinner.«

»Doch, stimmt. Ich will Elefanten dressieren. Für die Polizei, so, wie sie es in Indien machen. Mensch, stell dir vor, ein Bulle auf einem Elefanten im Central Park. ›Heben Sie die Kippe auf, junger Freund, oder ich lass den Fuß heben und aus Ihrem Schädel einen Aschenbecher machen.‹ . . . Was hast du sonst noch gegen mich?«

»Weiß nicht . . . Vielleicht, dass du so engstirnig bist –«

»Was?« Shaun blieb mitten auf der Straße stehen.

»Ich will's dir erklären. So engstirnig, wenn's um Mädchen geht. Du machst dich lustig über sie und, ich weiß nicht, all die Witze, die du immer machst, die gehen doch gegen Mädchen.«

Alan sah ganz geradeaus, als er sprach. Er wollte Shaun auf die Probe stellen. Mal sehen, was passierte, wenn Shaun jemals hinter Naomi käme. Mal sehen, wieweit man Shaun überhaupt trauen konnte. Er ging etwas langsamer, er wollte die Sache noch vor der Schule hinter sich haben.

Shaun schien verwirrt. »Und so was wirfst du mir vor?«

»Genau.«

»Hui! Hör mal, Al, Süßer, hast du vielleicht eine Freundin oder so was Ähnliches?«

»Nein.«

»Weißt du, du bist schon etwas komisch heute Morgen. Das ist wohl der dämlichste Vorwurf, den ich je gehört habe. Wo ist das Mädchen, das den Ball

60 Meter weit wirft? Zeig sie mir, sie kommt sofort in die Mannschaft. Aber was können sie denn außer kichern, am Randstein stehen, zugucken und kichern?«

»Na ja«, sagte Alan und steckte etwas zurück, »vielleicht ihre Idee von einem lustigen Nachmittag. Halt ihre Art.«

»Ich wette, du läufst schon mit Mädchen herum. Och, du Süßer, du, ich wette, du spielst mit ihnen Himmel und Hölle, mein Süßer, oder noch Schlimmeres. Wetten?«

»Wette gilt. Wie viel?«

»Zwei Dollar. Du wirst es nicht glauben, aber ich hoffe, dass ich verliere.«

»Keine Sorge«, sagte Alan, »du verlierst sie.«

»Hoff ich sehr. Denn mit Schissern gebe ich mich nicht ab. Ich nicht.«

Für Alan war das wie ein Schlag ins Kreuz. Es war jetzt klar: Naomi musste völlig geheim gehalten werden. Was gab's denn zu erledigen? Und täglich was anderes? Er würde jetzt Ausreden brauchen, die hieb- und stichfest waren.

5

Alan suchte eine Einkaufstüte in der Küche, um Charlie verstauen zu können. Er wollte auf seinem kurzen Weg zu Liebmans hinauf nicht damit gesehen werden. So eine Handpuppe ist etwas für kleine Kinder, mit zwölfeinhalb läuft man nicht damit herum, es sei denn, sie gehört zu einer Zaubervorführung oder man ist tatsächlich ein weltberühmter Bauchredner.

Von draußen hörte er die Zurufe beim Schlagballspiel. Bei dem Gedanken, auf was er verzichtete, biss er sich unwillkürlich auf die Lippen.

»Nu, was ist, Alan?«, fragte seine Mutter. Er zuckte zusammen. Sie sah alles, auch die kleinste Bewegung in seinem Gesicht.

»Nichts.« Er warf noch einen Blick auf das offene Fenster und schaute zu Boden.

»Och«, sagte die Mutter, die den Blick bemerkt hatte, »was kann ich tun? Alan, es tut mir Leid, ich kann nichts tun.« Sie ging zum Fenster und schloss es leise.

»Wenigstens kannst du mir eine Einkaufstüte geben, damit ich nicht wie ein Baby aussehe im Flur.«

»Ich habe keine Tüten mehr, ich habe sie für die Abfälle gebraucht. Willst du es nicht in eine Zeitung wickeln?«

»Da seh ich doch aus wie ein Vollidiot, wenn ich das in einer Zeitung rumtrage.«

»Ich habe keine Tüten ... Willst du vielleicht einen Koffer?«

»Was?«

»Oder . . . den Sack für die Wäscherei?«

Alan gab auf. »Dann gib mir halt die Zeitung«, sagte er.

Charlie, eingehüllt in die Schlagzeilen von gestern, saß auf seinem Arm, als er aus der Wohnung huschte. Alan warf einen Blick ins Treppenhaus hinab und rannte dann die Stufen hoch.

Es roch nach Salmiakgeist. Das bedeutete, dass der Hausmeister den Boden aufwischte. Richtig, da kniete Finch und scheuerte am anderen Ende den Flur.

»He!«, rief Finch. »Nicht drüberlaufen! Da ist gerade gewischt. Noch nass. Ihr Lümmel. Immer hat man Ärger mit euch. Du gehörst nicht hierher. Geh runter auf dein Stockwerk. Warum hat man nur immer Ärger mit euch, was?«

»Ich muss das bei den Liebmans abgeben«, sagte Alan fügsam.

»Das gibt es nicht. Ist noch nass.«

Alan dachte daran, dass seine Mutter gesagt hatte, Finch sei einfach ein Querkopf und nicht ernst zu nehmen. Er atmete tief, ging geradewegs auf Liebmans Tür zu und schellte.

»Ich sag's deinem Vater. Ich sag's dem Hausbesitzer. Ihr Lümmel. Ihr werdet rausgeschmissen. Wartet nur. Ich sag's dem Hausbesitzer.«

Mrs. Liebman machte auf und starrte Finch an. Sie war eine sanftmütige Person, aber groß und gewichtig, und ihre durchdringenden Blicke waren, wenn nötig, lähmend.

Finchs Augen waren vor Ärger und Salmiakgeistdünsten gerötet. Er starrte zurück, so lange er konnte, aber Mrs. Liebman blieb Sieger. Finch machte sich wieder ans Scheuern und murmelte nur noch »Lümmel«.

»Komm bitte herein, Alan, du bist so gut, so lieb, dass du gekommen bist. Ich kann nicht genug Dankeschön sagen von ganzem Herzen. Deine Mutter weiß es, dein Vater weiß es, komm bitte, komm herein.«

Sie führte Alan ins Wohnzimmer und deutete auf einen Stuhl vor einer riesigen Obstschale.

»Bitte, iss etwas«, sagte sie. Sie hielt ihm einen Apfel hin.

»Ich – ich hab keinen Hunger, danke.«

»Vielleicht eine Birne? Eine Banane? Alan, nimm. Wenn ich bei euch bin, hat deine Mutter immer etwas zu essen. Also nimm nur.«

»Nein, danke.«

Aus einem der Schlafzimmer kam eine Frau. Es war Naomis Mutter. Neben der großen Mrs. Liebman sah sie dünn und zerbrechlich aus. Ihre Augen waren ebenso groß wie die von Naomi. Sie erinnerte Alan an eine Frau, die vor Jahren vor der Hochbahnstation bei jedem Wetter Filzstifte verkauft hatte. In ihren Augen war der gleiche flehentliche Ausdruck gewesen.

»Das ist Mrs. Kirschenbaum, Alan, die Mutter von Naomi«, sagte Mrs. Liebman. Zu Mrs. Kirschenbaum gewandt sagte sie leise: »Das ist der Junge.«

»Merci. Merci bien, Alan. Merci bien.« Mrs. Kirschenbaums Augen füllten sich mit Tränen.

Hier heult jeder, dachte Alan, die sind alle übergeschnappt.

»Du hast etwas mitgebracht«, sagte Mrs. Liebman und deutete auf das Bündel in seinem Arm. »Es macht keine Angst, nein?«

»Nein, es ist einfach . . . damit wir etwas zu spielen haben.«

»Gut. Sie ist im Schlafzimmer. Es ist wichtig, Alan, dass du ruhig vorgehst. Nicht schnell bewegen. Nicht zu nahe kommen. Das macht ihr Angst. Verstehst du?«

»Ja.«

»Ein Apfel zuerst? Eine Birne?«

»Nein, danke. Ich habe wirklich . . . wirklich keinen Hunger.«

»Also . . . in der Schweiz, Alan, war sie sehr krank. Sie hatte böse Träume. Sie schrie in der Nacht. Es ist besser geworden. Viel besser. Sie hat zu Hause gelernt. Sie ist klug, Alan. Sehr, sehr klug. Wie du. Deine Mutter erzählt mir alles von dir. Warum, glaubst du, haben wir dich gebeten? Verstehst du?«

Was hat meine Mutter da wieder von mir erzählt? fragte sich Alan. Und warum muss sie überhaupt über mich reden?

Mrs. Liebman schüttelte gedankenverloren den Kopf. »Jetzt ist sie meistens ganz woanders. Sie muss aufwachen. Oi Gott, was soll ich dir sagen, Alan, komm bitte . . .«

Mrs. Liebman ging zum Schlafzimmer und öffnete die Tür ganz sanft. Mrs. Kirschenbaum stand hinter ihnen, unschlüssig, ob sie zur Tür gehen sollte oder nicht. Naomi saß mit gekreuzten Beinen auf ihrem Bett und riss ein Stück Papier in kleine Fetzen. Sie sahen ihr eine Weile zu.

Das ist ja wie im Zoo, dachte Alan, da sieht man einem Affen zu, wie er sein Fressen in Stücke reißt. Einen Augenblick lang hatte er das Gefühl, sie beobachteten ein Tier. Er hatte sogar den typischen Geruch in der Nase. Abscheulich, dieses Zugucken. Abstoßend.

Alan ging langsam hinein und setzte sich auf einen Stuhl neben der Tür. Naomi war immer noch vertieft in ihre Arbeit, Papier zu zerreißen.

Mrs. Liebman und Mrs. Kirschenbaum gingen ins Wohnzimmer, bereit, beim kleinsten Alarmzeichen einzugreifen.

Alan verlor keine Zeit. Er wollte sofort Charlie ins Spiel bringen und packte ihn aus. Das Papier knisterte und Naomi schaute auf.

Alan ließ Charlie winken. Naomi griff sofort unters Kissen und holte ihre Puppe hervor. Sie war alt und abgerissen, als hätte sie schwere Zeiten hinter sich.

Naomi ließ ihre Puppe zurückwinken. Affen machen alles nach, dachte Alan.

»Ich heiße Charlie«, ließ Alan die Handpuppe sagen. »Hallo, hallo, Mädchen. Behandeln sie dich hier gut?«

Naomi ließ ihre Puppe ein Stück Papier aufheben und zerriss es dann zwischen den Händen der Puppe, so, als wäre es deren Werk.

»He, du«, sagte Charlie, »das kann ich auch. Das ist leicht.« Alan ließ Charlie von seiner Zeitungsumhüllung ein paar Stückchen abreißen. Naomi schaute ein paar Mal auf, und da keine Gefahr zu drohen schien, riss sie zwischen den Händen der Puppe weiter Papier entzwei.

Nach fünf Minuten dachte Alan, man müsste sich mal was anderes einfallen lassen. Sonst säßen sie da und zerrissen den ganzen Nachmittag Papier. Ziemlich langweilig, außerdem taten ihm jetzt schon die Finger weh.

»Ich kann auch tanzen«, sagte Charlie. »Weißt du das? Guck mal!«

Alan fing an Schlager zu singen und Charlie tanzte dazu. Die Puppe zerriss weiter Papier. Aber zwischendurch hielt Naomi manchmal inne um Charlies Mätzchen zu sehen. Dann ließ ihn Alan plötzlich auf dem Kopf tanzen, auf und ab hüpfte Charlie auf dem Kopf – und da war doch, da schien doch die Spur eines Lächelns in Naomis Gesicht, eine Lippe, verhalten gekräuselt, als wollte Naomi dagegen ankämpfen. Und doch – es war der Hauch eines Lächelns gewesen, und Alan bemühte sich nicht allzu übermütig auszusehen, als er seine Puppe durchs ganze Zimmer tanzen ließ.

Das Zerreißen des Papiers dauerte an. Alan ließ Charlie jetzt die Wände hinauftanzen, aber Naomi schaute nicht mehr auf und es kam auch kein Lächeln mehr.

Also wenigstens hat sie keine Angst mehr vor mir, dachte Alan. Wenn sie nichts anderes im Sinn hat als Papier zu zerreißen, bin ich schließlich nicht Schuld. Wie kann ein Mensch so was bloß ununterbrochen tun? Sie ist verrückt, das ist der ganze Grund, und da kann ich machen, was ich will, das ändert gar nichts. Aber fair ist das nicht.

Alan nahm Charlie und wickelte ihn in die Zeitungsseiten, während Naomis Puppe immer weiter die Papierfetzen zerriss. Mrs. Liebman kam ins Zimmer und hielt Alan wortlos einen Schokoladenriegel hin, so drängend, als flehte sie ihn an ihn anzunehmen.

Alan ergriff den Riegel und murmelte: »Danke.« Wie im Zoo, dachte er, Fütterung der Tiere. Also gut, Charlie, du sollst ihn haben. Er steckte die Schokolade der Puppe in der Zeitung zu. Dann schaute er noch einmal auf Naomi, die mit ihren Fetzchen beschäftigt war, und sagte: »He, du, ich komme morgen wieder. Einverstanden? Morgen zeige ich dir, wie man Bauchredner wird. Klar? . . . Also, bis dann.«

Genauso gut hätte er in ein leeres Zimmer hinein sprechen können. –

6

Es regnete am nächsten Tag. Der trostlose New Yorker Regen verwandelte die Fenster der Klassenzimmer in blinde Spiegel. An Schlagball am Nachmittag war nicht mehr zu denken. Alan war so erleichtert für heute keine Ausrede erfinden zu müssen, dass er mit Wonne in einen seichten See über einem verstopften Gully sprang.

»Los geht's!«, rief er Shaun zu. »Wir gehen schwimmen.«

Er trat mit Nachdruck ins Wasser und versuchte Shaun am Rinnstein nass zu machen. Der Kampf war eröffnet und wurde alsbald zum Gefecht im Pazifik.

»O. K., Kelly, die Grumman Hellcat greift an, ich zerschlage dir deinen letzten Flugzeugträger.« Alan kickte eine Wasserfontäne hoch, als wäre gerade eine Bombe gefallen. »Krrung! Treffer.«

»Mein Japs-Jäger saust genau deine Rauchsäule runter. Genau in deine Rauchsäule. Da hast du's. Katschanggg! Dein Kesselraum ist in die Luft geflogen, Yankee-Schwein!«

»Geht ja gar nicht. Ich hab deinen Jäger abgeschossen!«, brüllte Alan.

»Kommt noch einer. Kommen immer mehr.« Shaun kickte das Wasser zu Alan rüber, immer wieder, und der Kampf wogte hin und her.

In zehn Minuten waren sie so nass, dass sie den Regen nicht mehr spürten. Im großartigen Endkampf rutschte Shaun aus und fiel hin und unter seinem Regenmantel waren Hose und Hemd klatschnass.

»Hurra, wir haben die Philippinen wieder!«, schrie Alan.

»Ich kapituliere, Yankee-Hund«, sagte Shaun. »Ich mache jetzt Harakiri nach alter Väter Sitte.« Er deutete mit einer Bewegung an, dass er sich den Bauch aufschlitzte, schüttete stattdessen aber eine Wasserladung über Alans Kopf aus. »Banzai!«, brüllte er.

»El Alamo!«, brüllte Alan zurück und kickte eine letzte Wasserbombe zu Shaun.

Mit nass angeklatschten Hosen und quietschenden Schuhen stapften sie nach Hause. Auf dem Vorplatz genoss es Alan, Finchs geheiligten Fliesenboden unter Wasser zu setzen. Er zog den Regenmantel aus und schüttelte und straffte ihn vor sich wie ein Stierkämpfer seine Capa.

»He, Kelly, wie wär's mit einem Stierkampf?«

»Kein Stück«, sagte Kelly, als er hereinkam, »mir ist zu kalt.«

Alan fröstelte selbst in seinen nassen Kleidern, aber das wollte er nicht zeigen. »Kalt? Der große Shaun Kelly friert? Los, Mensch, Wettrennen rauf bis unters Dach.«

»Morgen«, sagte Shaun und ließ die Flurtür kreischend zufallen.

Alan schlüpfte gerade noch durch und raste an Shaun vorbei die Stiegen hoch zu seiner Wohnung. »Hast verloren!«, rief er.

»Du hast wirklich einen Knall, Silverman!«, rief Shaun von unten zurück.

»Du bist ja ganz nass, Kelly. Kein Mensch hört einem zu, der noch nass ist.«

Alan machte die Wohnungstür auf und wollte an der Küche vorbeihuschen. Aber da stand seine Mutter schon mit gekreuzten Armen. Ein Blick genügte ihr.

»Nimm ein Handtuch. Zwei Handtücher. Kindskopf. Zieh die Schuhe aus. Die Strümpfe. Mach dich trocken, schnell, sonst gibt's Lungenentzündung. Ein Kindskopf bist du. Warum machst du so was?«

»Was so was?«

»Guck dich an! Guck auf die Bücher! Du

glaubst, ich bin von gestern? Du meinst, ich sehe nicht, dass du im Regen gerauft hast mit diesem Kelly?«

»Er heißt Shaun.«

»Mir egal und wenn er Washington heißt. Er ist ein Gauner.«

»Ist er nicht.«

»Warte ab. Eines Tages –«

»Was eines Tages? Was denn dann? Meinst du, er überfällt eine Bank? Oder was? Und wenn du es genau wissen willst: Ich hab angefangen!«

»Was angefangen?«

»Die Wasserschlacht.«

»Also doch. Also eine Schlacht.«

»Also jetzt bin ich der Gauner.«

»Du? Ein Gauner? Du tust keiner Fliege weh. Jeder sagt, was für einen lieben Sohn ich habe. Und Mrs. Liebman ist so –«

»Hör auf!«

»Was denn, Alan? Was denn?« Seine Mutter war ganz erschrocken.

»Ich – bin – nicht – lieb!«

»Also gut. Also gut. Ist in Ordnung. Du bist nicht lieb. So wahr mir Gott helfe, du bist nicht lieb.«

»Da kannst du dich drauf verlassen. Und überhaupt – hör endlich auf, mit andern Leuten über mich zu reden.«

»Also gut. Also gut ... Alan, du vergisst doch nicht –« Seine Mutter deutete nach oben.

»Ich weiß. Brauchst mich nicht zu erinnern.«

Alan griff sich ein Handtuch im Badezimmer und ging in sein Zimmer. Während er sich abtrocknete, fragte er sich, ob er nicht doch die Sache mit Naomi am liebsten verdrängt hätte. Vielleicht hatte er deswegen mit der Wasserschlacht angefangen, um eben den Besuch so lange wie möglich hinauszuzögern. Wenn doch nur die Liebman und die Kirschenbaum wegblieben und ihm nicht dauernd Obst und Schokolade vor die Nase hielten und ihm nicht die Hucke voll heulten.

Er setzte sich an seinen Schreibtisch und überprüfte sein Piper-Cub-Flugmodell sorgsam auf neue Risse in der papiernen Außenhaut. Vielleicht könnten sie am Samstag, wenn besseres Wetter wäre, die Flugzeuge fliegen lassen, er und Shaun. Auf einmal wurde ihm klar, dass er auch jetzt nur wieder Zeit gewinnen wollte.

Aber es tat gut, da vor dem Flugzeug zu sitzen. Warum darf ich bloß nicht, dachte er, ich sitze gern hier. Wer will denn mit einer Bekloppten zusammensitzen? Darfst nicht mal ärgerlich werden. Verboten. Weil sie irre ist. Die ganze Sache ist ja irre. Du darfst nicht Schlagball spielen. Du darfst nicht im Regen herumtoben. Du darfst nicht hier sitzen und dein Flugzeug betrachten. Nichts dergleichen. Nichts darfst du tun außer raufgehen und dich zu einem verrückten Mädchen setzen, und du darfst nicht mal böse werden. Ein harter Job, Mann.

Alan seufzte. Eine Minute lang schaute er noch auf sein Flugzeug. Dann ging er zum Schrank und holte Charlie heraus. »Es geht los, Charlie. Bist du bereit?«

»Wollte gerade ein Nickerchen machen, Mr. Silverman.«

»Da hast du Pech. Es gibt Arbeit.«

»Arbeit? Ich hau dir in die Fresse, Silverman.«

Alan wickelte die Puppe in die alte Zeitung und ging dann in die Küche. »Also ich geh jetzt.« Er hielt das Zeitungspaket hoch.

»Willst du nicht noch eine Tasse Kakao?«, fragte seine Mutter.

»Nein, danke.«

»Gut. Aber wenn du dir eine Lungenentzündung holst, ist es nicht meine Schuld. Hast du wenigstens andere Wäsche an?«

»Ja. Also bis nachher.« Und aus der Papiertüte ließ er Charlie sagen: »Bis nachher, Liebchen.«

»Was?«

»Das war Charlie. Auch ein Gauner.«

»Meschuggener.«

»Was hat die Dame gesagt?«, fragte Charlie.

»Dass du verrückt bist, Charlie.«

»Er nicht«, sagte sie, »du!«

Alan machte die Wohnungstür auf und schaute hinaus. Niemand zu sehen. Er lief zu Liebmans hinauf.

Mrs. Liebman bot Alan Fruchtsaft mit Sprudel an und diesmal nahm er ein Glas Kirschsaft, um ihr zu zeigen, dass er nichts gegen ihre Sachen hätte. Außerdem hatte er Durst.

Leise trat er bei Naomi ein und setzte sein Glas ab. Sie saß auf ihrem Bett, umgeben von zerknüllten Papierstücken. Sie starrte auf ein Stück zerknittertes Papier in ihrer Hand. Alle paar Sekunden zuckte sie die Achseln, als wollte sie sagen: »Ist ja egal.«

Alan wickelte die Puppe aus und ließ sie reden,

aber Naomi schaute nicht einmal auf. Dann zerriss sie, unter dauerndem Achselzucken, das zerknitterte Papier.

Hat keinen Zweck, dachte Alan, das ist doch Zeitverschwendung. Das ist ja schlimmer als gestern. Sie hat nicht einmal ihre schäbige alte Puppe dabei.

»He, du. Wo ist denn meine Freundin, die gestern dabei war? Bring sie doch mal her.«

Naomi wandte den Kopf und zerriss Papier. Es war ihr einfach alles egal. Da versuchte er nun sein Bestes zu geben und ihr war's egal. So wie damals seiner Mutter . . .

Alan erinnerte sich, als sein neugeborenes Schwesterchen gestorben war, da saß seine Mutter nach ihrer Rückkehr aus dem Krankenhaus den ganzen Tag allein im Schlafzimmer. Alles und jedes war ihr damals gleichgültig gewesen.

»Sprich zu ihr«, hatte sein Vater gesagt, »sprich immer weiter, Alan, sie wird dich schon einmal hören.«

Wie ihm das verhasst gewesen war. Jetzt wusste er wieder, wie sehr ihm das verhasst gewesen war. Seine Mutter, stumm im Stuhl, mit gesenktem Kopf. Nichts hatte sie interessiert, er nicht, sein Vater nicht, niemand.

Aber es wirkte: zu reden und so zu tun, als ob sie zuhörte. Am Abend kam sie dann in die Küche, niedergedrückt und elend, und zwang sich das Abendessen zu machen. Danach war sie, wenigstens nach außen hin, offenbar wieder in Ordnung.

Aber das war damals nur ein Tag gewesen. Doch Naomi war dauernd so. Hoffnungslos.

Immerhin, bei seiner Mutter hatte es gewirkt, und er hatte es versprochen. Alan zwang sich dazu, Charlie glücklich, lustig und ausgelassen erscheinen zu lassen. Er fühlte sich so niedergeschlagen wie ein Schachspieler, der ein schon verlorenes Spiel noch zu Ende spielen muss. Zum Schluss riss Naomi immer noch winzige Fetzen aus demselben Knitterpapier. Hoffnungslos.

7

Shaun verfolgte mit hochgereckter hohler Hand einen weißen Nachtfalter, der zwischen den Gräsern flatterte. Dann stieß seine Hand hinab wie ein Habicht auf seine Beute, und unter der Hand hatte er den Falter. Der Schmetterlingsüberfall hatte begonnen. Nur dass die Schmetterlinge keine Schmetterlinge, sondern Nachtfalter waren.

»Sei vorsichtig!«, rief Alan. »Du zerdrückst ihn.«

»Da kann man doch verrückt werden. So 'n Quatsch. Ich weiß doch, wie man Falter fängt.«

»Die Flügel reißen. Sie reißen bei der geringsten Kleinigkeit.«

Auf dem Schulweg hatte Shaun seine genialste Idee seit Monaten vorgetragen – den Schmetterlingsüberfall. Sie fangen in der Mittagspause Dutzende von Schmetterlingen auf dem Freigelände, zwei Querstraßen von der Schule entfernt. Dann lassen sie die Schmetterlinge in Mrs. Landleys Englisch-Stunde fliegen. Alan hatte gezögert, Mrs. Landley war seine Lieblingslehrerin, obwohl sie sich so überspannt benahm. Aber dann hatte Shaun wieder mit »Schisser« angefangen und somit Alan dazu gebracht, mitzumachen und Mrs. Landley erst hinterher zu bedauern.

»Also«, sagte Shaun, die Hand auf dem Falter, »nimm die Tüte und halte sie verkehrt herum über meine Hand. Los.«

Alan strich die braune Papiertüte glatt, in der sein Frühstück gewesen war, und stülpte sie über Shauns Hand. Shaun drehte die Hand um und machte eine Wurfbewegung nach oben.

»Los. Flieg! . . . Der will nicht.«

»Hast ihn wahrscheinlich zerdrückt.«

Shaun ließ den Falter frei. Er flatterte wild in kleinen Kreisen herum.

»Tatsächlich verletzt«, sagte Shaun. »Kann nicht mehr fliegen. Los, Alan, gib ihm den Fangschuss, mach ihn tot!«

»Ich? Das hast du doch gemacht.«

»Willst du sagen, du machst nicht mal so einen Falter tot? Mann, du hast wirklich einen Knall.«

»Hab keine Lust ihn totzumachen, das ist alles. Schließlich dein Falter.«

Alan musste daran denken, wie sich seine Mutter ärgerte, wenn er eine Küchenschabe, statt sie zu töten, auf einem Papier hochhob und vor der Wohnungstür wegschleuderte. »Schaut ihn an«, rief sie dann, »er kümmert sich um Schaben, der da, mehr als andere Leute sich kümmern um Leute. Es wimmelt hier vor Schaben. Darum.«

Shaun hob seinen Fuß über dem Falter. »Also gut, Silverman. Jetzt passiert's. Mach noch mal Winkewinke.«

Der Falter flatterte, blieb liegen, flatterte und blieb wieder still. Shaun zögerte und setzte den Fuß ab.

»Muss vielleicht nicht sein, dass wir ihn totmachen«, sagte er und hob den Falter sanft auf ein Blatt. Dann riss er etwas Flaum von seinem braunen Woll-Pulli und legte ihn vor den Falter. »Da hast du was zum Fressen ... ja, los, friss nur, mein Kleiner, friss dich satt!«

Völlig überrascht starrte Alan seinen Freund an. Shaun, der Mann mit Muskeln wie gestraffte Seile und schnellen Fäusten, sprach mit einem Falter. Kümmerte sich um einen Falter. Kümmerte sich um ein Insekt so wie er, Alan, auch.

»Mensch, Kelly, das ist gut«, sagte Alan, »der hat dich gern.«

Shaun starrte Alan an, seine Augen verengten sich. »Ein Wort von dir über das hier zu den andern und ich schlage dir die Zähne aus, Silverman. Das ist mein Ernst.«

»Kein Wort von mir. Ich bin nur froh, dass du ihn nicht totgemacht hast. O. K.?«

Achselzuckend sagte Shaun: »O. K.«

»Komm, wir gehen zur Schule«, schlug Alan vor.

»Was denn? Was denn? Denk an den Schmetterlingsüberfall. Aber jetzt bist du der Fänger und ich nehme die Tüte. Hast ja auch die zarteren Händchen, Silverman ... He, da ist einer. Auf ihn, Al! Worauf wartest du? Wo bleibt dein Jagdinstinkt? Los, ran!«

Sie eilten von einer Unkrautkolonie zur andern und hatten in einer Viertelstunde zwei Tüten mit Dutzenden von Faltern. Mit einem Stift bohrten sie Luftlöcher ins Papier. Auf dem Weg zur Schule hielten sie die Tüten vor sich wie braune Laternen. Alan glaubte zu spüren, wie die Falter gegen das knittrige Papier anflatterten.

Im Klassenzimmer versteckten sie die Tüten unter ihren Pulten und deckten sie mit ihren Pullis zu. Shaun sollte zur richtigen Zeit mit vorgetäuschtem Niesen das Signal zum Überfall geben.

»Nun«, sagte Mrs. Landley, »wo waren wir stehen geblieben? Ich glaube . . . mitten in dem Kapitel über Emily Dickinson. Mal sehen. Seite 89. Das Gedicht ›Ich war schon tot, bevor ich starb‹ hatten wir doch schon. Nein? Ralph? Hatten wir's . . . Ja. Gut. Es war ein ernstes Gedicht, wir hatten das schon besprochen. Wieso zweimal tot? Erinnert ihr euch? Norma!«

»Wegen Männern. Die sie liebten.«

Die ganze Klasse kicherte und grinste.

»Ja«, sagte Mrs. Landley. »Nun, es war die Liebe selbst, die sie verloren hatte. Der Verlust der Liebe kann sehr tragisch sein. Ist tragisch. Immer. Wenn wir jemanden verlieren, den wir liebten. Du scheinst das zu bezweifeln, Shaun?«

»He? N-n-nein . . .«, stammelte Shaun. Alan sah von seinem Platz aus, wie Shaun am Hals ganz rot wurde.

»Nun gut. Es war ein ernstes Gedicht. Aber Emily Dickinson kann auch anders. Sehen wir uns das nächste Gedicht an. Larry Dennison, bitte. Seitenmitte.«

Larry fing an zu lesen, langsam und sorgsam, und

legte wie gewöhnlich nach jeder Zeile eine Pause ein. »Ein Vöglein kam am Rain vorbei ... hm ... und unbekümmert froh ... hm, ehem ... biss es den Regenwurm entzwei ... hm, hm ... und fraß den Burschen roh.«

Ungeduldig las Alan das ganze Gedicht. Was denn? Wie denn? In der letzten Strophe: Schmetterlinge. Emily Dickinson sprach da von Schmetterlingen. Wenn ich nur die Tüte aufs Stichwort genau aufkriege, dachte er. Shaun, vergiss doch deinen dämlichen Nieser! Lies das hier! Mach dich fertig für den Überfall!

Larry las weiter, während Alan die Tüte aufhob; er war so aufgeregt, dass seine Hände ihm kaum gehorchten. Voller Hoffnung blickte er zu Shaun hinüber, aber der merkte nichts. Alan versuchte es selbst mit einem Nieser: »'tschi!« Aber Shaun rührte sich nicht.

»Und Ruder schneiden durch das Meer«, fuhr Larry fort, »... ehem ... die Wellen silbern säumend ... hm, hm ... und Schmetterlinge, sonnenschwer ... hm ... ruhn auf dem Silber, träumend.«

Bei dem Wort »Schmetterlinge« machte Alan die Tüte auf und schüttelte sie, und wie die Federn eines aufgerissenen Kissens wirbelten die Falter sofort im ganzen Zimmer herum. Shaun wollte in aller Eile seine Tüte öffnen, aber in dem allgemeinen Aufruhr beachtete ihn kein Mensch. Mrs. Landley war wie gelähmt angesichts dieser Schmetterlingsinvasion. Beim Anblick der vielen Falter kam sie aus dem Kopfschütteln gar nicht mehr heraus.

Was hatte er bloß angestellt. Ausgerechnet bei der

nettesten Lehrerin in der ganzen blöden Schule. Jetzt war er für sie ein Unruhestifter. Warum sagte sie denn nichts?

Plötzlich klopfte sie mit einem Papierbeschwerer auf ihr Pult. Sofort war die Klasse ganz still. Alan wusste, was jetzt kam. Auf jeden Fall Vorladung beim Direktor. Verwarnung, von den Eltern zu unterschreiben. Wenn nicht noch mehr.

»Ich bin seit vielen Jahren Lehrerin«, sagte Mrs. Landley, »aber noch nie habe ich erlebt, wie man zur Feier eines Gedichts mit einer Idee von vollkommener Schönheit beitragen kann. Aller Gedichte überhaupt. Es hat mich zutiefst bewegt. Diese schönen Geschöpfe freizulassen ist in sich schon ein Akt der Poesie. Du wusstest, dass dieses Gedicht drankommen würde, Alan, nicht wahr? Ja, du bist uns anderen ja immer weit voraus. Wunderschön! Ich danke dir, Alan, für dieses schöne Geschenk. Fast verspüre ich Lust mich aufzuschwingen und fortzufliegen, so wie der Vogel im Gedicht. Und wie die süßen Schmetterlinge.«

Einer rief mit Fistelstimme: »Und der süße Alan. Ist auch ein Schmetterling.«

Alan spürte, wie die Wut heiß in ihm aufstieg. Der Junge war Carl Newman. Carl machte sich über jeden lustig, wann immer er Gelegenheit hatte. Viele kicherten jetzt. Alan schaute zu Shaun. Das durfte nicht wahr sein. Shaun lachte mit. Als er Alans Blick wahrnahm, riss er sich zusammen und zuckte mit den Schultern. Alan wandte sich ab und biss sich auf die Lippe.

»Nun gut, genug für heute!«, rief Mrs. Landley.

»Von euch hier erwarte ich eigentlich etwas anderes. Die Begabtenklasse. Ja, ja. Die Unbegabtenklasse wäre sicher richtiger. Einer öffne bitte die Fenster und lasse die Schmetterlinge heimfliegen. Für euch sind sie zu gut.«

Alan wich Shaun aus, als die Klasse im Gänsemarsch zum Physikraum ging. Im Labor kam Shaun zu Alans Arbeitstisch herüber und flüsterte: »He, Silverman, du warst toll. Kein anderer wäre da heil rausgekommen. Hör jetzt auf zu motzen.«

»Hau ab«, flüsterte Alan zurück.

»Kikikiki.«

»Es war deine Idee, und dann sitzt du da und lachst. Über mich!« Alan konzentrierte sich auf sein Experiment ohne hochzublicken.

»Na und? Über mich lachen sie auch manchmal.«

»Aber nicht Freunde.«

»Ah ja . . . Also . . . es tut mir Leid. Wirklich. Tut mir Leid. O. K.?«

Alan seufzte, weiter über seine Arbeit gebeugt. »O. K.« Meint er es wirklich ernst? fragte sich Alan.

»Bis nach der Schule«, flüsterte Shaun.

»Geht nicht. Muss was erledigen.«

»Schon wieder?«

»Schon wieder.«

Später, als er mit Charlie in Naomis Zimmer saß, dachte Alan noch einmal über Shaun nach. Shaun änderte sein Verhalten von Minute zu Minute. Warum? Machen Freunde so was? Ist mal Freund, mal Feind. Fast wie seine Mutter, nur, sie war eben kein Freund, sie war seine Mutter. Joe Condello war immer Feind. Tomy Ferrara war weder noch. Er war nur einfach da.

Alan beobachtete Naomi. Sie war nicht einmal da. Sie war nirgendwo. Sie hatte wieder ihre Puppe vorgeholt, aber nur um endlos Papier zu zerreißen. Alan hatte Charlie alle Songs und alle Witze vortragen, ihn sogar etwas zaubern lassen. Alles umsonst.

Zeit zu gehen, dachte er. »Also«, ließ er Charlie sagen, »ich muss jetzt zurück in meinen schönen, prächtigen, riesigen Schrank, wo ich in Saus und Braus lebe. Hier spricht Charlie und verabschiedet sich von all seinen Freunden. Die Sendung ist aus. Vorbei und vorüber. Guten Abend.«

Plötzlich – etwas zögernd und ohne aufzusehen, drehte Naomi ihre Puppe zu Charlie und ließ sie mit hoher Piepsstimme sagen: »Ah, Scharly ... Sie kommen wieder ... *non?* ... Nächste Mal, ich tanze *aussi* ... Ich bin Yvette ... ich bin gute *danseuse* ... gut wie Pawlowa, ja ... *Au revoir,* Scharly.« Naomi legte die Puppe zurück und zerriss Papier. Ihr Gesicht war völlig ausdruckslos, so, als sei nichts geschehen.

Und doch war etwas geschehen. Viele Dinge auf einmal. Sie war ein Mädchen, kein Tier im Zoo. Sie hatte Charlies Namen verstanden. Ihre Puppe hatte auch einen Namen: Yvette. Was sie sagte, hatte Hand und Fuß. Bloß – wer war Pawlowa? Und was bedeutete *aussi*? Einen Tanz? Hatten sie das nicht schon in der Schule gehabt: *Ici? Aussi?* Spielte auch keine Rolle. Das Ding war ein Hammer. Es war kein leeres Zimmer mehr.

Alan holte tief Atem und sprach durch Charlie: »Auf bald, Naomi – ich meine Yvette. Komme morgen wieder.«

Naomi, ganz in ihre Zerreißarbeit vertieft, fuhr sich mit der Zunge über die Lippen.

»*Au revoir*«, sagte Charlie.

Naomi antwortete nicht.

Vielleicht genug für heute, dachte Alan. Mit der halb eingewickelten Handpuppe ging er ins Wohnzimmer. Er sah, dass die beiden Frauen Naomis piepsende Puppenstimme mitbekommen hatten. Es musste sie sehr bewegt haben, ihre Augen glänzten wie frisch gewaschene Kiesel.

»Komme morgen wieder«, sagte Alan. »O. K.?«

Er wollte schnell entwischen, aber Mrs. Liebman stürzte sich auf ihn und küsste ihn auf die Stirn.

»Wie mein eigener Sohn«, sagte sie. »Du sollst gesegnet sein.«

Ach, du heiliger Strohsack, dachte Alan.

8

Naomi sagte kein Wort, weder am Samstag noch am Sonntag. Sie saß da mit ihrer Puppe Yvette und ließ sie Papier zerreißen. Zweimal zog ihr Naomi Schuhe an, nur um sie ihr sofort wieder auszuziehen. Zwischendurch, wenn Charlie sang und tanzte, glaubte Alan zu hören, dass Naomi die Melodie mitsummte, und zwar in der Piepsstimme von Yvette. Alan lauschte angestrengt, aber das dünne Stimmchen war schwächer als ein Echo und verklang sofort, wenn er innehielt um besser zu hören. War es überhaupt vorhanden?

Die Woche war dunkel und bedrückend. Es regnete wieder, ein endloser Sprühregen, dem auch die Schirme auf die Dauer nicht gewachsen waren. Es schien himmelaufwärts zu regnen. Alan erinnerte sich an den gleichen Regen bei der Beerdigung seiner Großmutter, als sich die schwarzen Schirme damals zu einem großen Trauerzelt über dem Grab aneinander gedrängt hatten. Auch jetzt waren die Schirme in Trauer. Es war eine traurige Woche.

Am Montag, Dienstag und Mittwoch besuchte Alan Naomi. Er ließ Charlie Zäune aus Dominosteinen aufstellen, die beim kleinsten Anstupser nacheinander von links nach rechts zusammenklappten. Lächelte sie ein wenig? Vielleicht . . . Also versuchte er es noch einmal. Nicht die Spur eines Lächelns. Sie hatte nie gelächelt. Er hatte sich geirrt.

Aus einem Taschentuch und etwas Kordel machte er einen Fallschirm. Der Hausschlüssel war der Flieger, der ausgestiegen war. Naomi schaute einmal kurz auf, als der Fallschirm sich beim Niedersinken wölbte. Der Schlüssel klickte auf den Boden. Naomi wandte sich achselzuckend wieder dem Papierzerreißen zu.

Es klappte nicht. Nichts würde jemals klappen. Was glaubten die denn, wie oft er das noch wiederholen sollte? Wie viele Spiele und Spielsachen und Kunststücke hatte er denn noch auf Lager?

»Es regnet sowieso«, hatte seine Mutter mehrmals gesagt, »und rumsitzen kannst du auch oben statt hier. Ja?«

Na schön. Aber wartet nur, wenn die Sonne scheint. Wartet nur.

Am Donnerstagmorgen riss der schwere graue Himmel auf wie nasses Papier und ausgezackte Blaustreifen wurden sichtbar. Gegen Mittag leuchtete die Sonne wie eine weit offene Blume mit tausend Blütenblättern aus Licht. Es war ein klarer, heller Herbsttag und Shaun rief herüber, wie es mit Schlagball wäre, heute nach der Schule.

Und Alan, die Sonne auf der Haut und den Himmel vor Augen, sagte, er würde mitmachen. Er würde da sein, bereit sein, gleich nach der Schule. Er würde nicht einmal in die Wohnung hinaufgehen. Heute war Schlagball dran und nicht Naomi. Das hing ihm alles zum Hals heraus, Naomi und ihre abgerissene Puppe und die Papierschnitzel und das leere Gesicht. Heute war Schlagball dran und Punkt!

An diesem Nachmittag gab es keinen Streit über die Seiten. Nach dem vielen Regen drängte jeder nur darauf endlich anzufangen. Was da noch an Pfützen war, wurde einfach zum »Aus« erklärt, und es ging los.

Das war eine Sache. Mal wieder einen Schlagballschläger schwingen zu können, sogar einen Aus-Ball noch sauber zu erwischen und ein Lob von Shaun.

»Na, Alan, alter Kumpel. Mach's jetzt wieder so, Junge. Hau ihn tief ins Feld, Junge. Hau ihn über die Dächer!«

Condello schaute zum ersten Standmal. Das machte er immer, obwohl niemand da stand, und dann schoss er seinen Ball zum Schlagmal ab. Alan holte aus und schlug zurück. Vorbei.

Er knallte mit dem Schläger auf die Fahrbahn, ließ ihn fallen und ging zum Randstein. SILVERMAN WIEDER AUFGESTELLT, STARK BEHINDERT DURCH VERSTAUCHTES HANDGELENK UND BÄNDERRISS! MENGE JUBELT IHREM HELDEN NOCH BEIM FEHLSCHLAG ZU.

In der nächsten Runde ließ Alan im Feld einen leichten Ball fallen. Und als er wieder am Schlagen war, schlug er erneut vorbei. Er spielte miserabel. Warum nur? Zu wenig Übung? Oder war er einfach ein Versager? Jeder andere war besser. Gut, die nasse Straße bremste sein Spiel, aber das galt schließlich für alle.

Beim dritten Mal als Schläger machte er wieder einen Fehlschlag. Drei Fehlschläge hintereinander.

»Heia«, schrie einer von den andern, »Silverman, du bist unser bester Spieler!«

»Lasst ihn in Ruhe!«, brüllte Shaun.

Das ärgerte ihn noch mehr als alles andere. Als ob er Schutz brauchte. Als ob er ein zartes Pflänzchen wäre. Er wünschte, er könnte einfach hier weggehen. Einfach aufhören. Aber das ging nicht. Er musste so tun, als wäre es ihm egal. So wie die Profis im Yankee-Stadion. Aber ganz innen drin wollte er schreien. Ob es denen wohl auch so ging, da im Yankee-Stadion, wenn sie dreimal vorbeitrafen?

Seine Mannschaft verlor 5:2. Als Alan die Treppe hochging, schaltete sein Gehirn von Schlagball um auf seine Eltern. Was würden sie dazu sagen, dass er sich heute gedrückt hatte? Aber den Schlagballtag hatte er gebraucht. Er hatte ihn sich verdient. Egal, was sie sagen würden. Er hatte ihn verdient. Alan trat ein und stand in der Küchentür. Seine Eltern unterbrachen sofort ihr Gespräch.

»So«, sagte seine Mutter, »du kommst von der Schule nicht mehr nach Haus?«

»Ich . . .«, Alan schob seine Bücher von einer Hand in die andere. »Ich habe mir den Tag freigenommen. O. K.? Einmal in tausend Jahren darf ich mir wohl einen Tag freinehmen.«

»Sehr wahr«, pflichtete ihm sein Vater bei. »Aber du könntest es deiner Mutter sagen. Nicht wahr? Denn oben haben sie gewartet.«

»Nicht mal einen Tag gönnen sie mir. Und ihr auch nicht.«

»Gut, gut. Schau, du hast dir den Nachmittag freigenommen«, sagte sein Vater. »Ohne es uns zu sagen. Schrecklich. Zehn Jahre ins Loch, bei Wasser und Brot.«

»Sol, du machst einen Witz daraus«, sagte Alans Mutter und ihre Stimme wurde etwas lauter.

»Er ist nicht beim Militär. Wir können ihm nicht sagen, wenn er sich einen Nachmittag freinimmt, verliert jemand vielleicht eine Schlacht. Er ist kein Soldat. Stimmt das, Alan? Du bist Alan. Schlicht und einfach Alan.«

»Darf ich wenigstens die Bücher absetzen?«, fragte Alan.

»Warum nicht? Das ist dein verfassungsmäßiges Recht . . . Wie ich sagte, du bist einfach Alan. Kein Soldat. Aber: du bist mein Sohn. Und ich bin dein Vater. Als Vater verzeihe ich dir das Schlagballspiel zehnmal und mehr. Ich hoffe, du als mein Sohn verzeihst mir fünfmal und mehr, wenn ich sage: Ich erwarte, dass du hinaufgehst. Iss etwas. Ist noch etwas kaltes Huhn im Kühlschrank. Wir haben schon gegessen. Iss das Huhn. Dann geh hinauf zu Naomi.«

»Aber ... was ist mit meinen Hausaufgaben? Morgen schreiben wir Mathe.«

»Ganz einfach. Du fällst durch. Iss das Huhn, Alan, und geh hinauf.«

»Aber –«

»Kein Aber. Du kannst lernen, wenn du zurückkommst, und du schläfst etwas weniger. Das musst du wissen. Ich muss manchmal streng sein, Alan, sonst wirst du nie ... du selbst.«

»Du bist immer streng. Aber nur mit mir. Nur mit mir.«

»Pass auf, wie du mit deinem Vater sprichst, du –«

»Lass nur«, unterbrach sie Alans Vater. »Es tut mir Leid, Alan, aber ich muss tun, was richtig ist nach meiner Meinung. Nach meiner Meinung. Ich weiß es nicht genau, aber ich glaube, dass es richtig ist. Du bist viel mehr als ein Schlagballspieler. Wenn du nur ein Schlagballspieler wärst, hätte ich nichts gesagt. Du bist eine Person. Ein Mensch mit Seele. Nu iss, bevor du Sodbrennen kriegst oder Mumps oder Katzenjammer.«

Alan nahm ein paar Bissen zu sich, aber in seiner Brust wogten alle möglichen Empfindungen durcheinander wie verknäuelte Schlangen in einem Korb. Er konnte nicht weiteressen.

Er ging mit der Handpuppe hinauf und setzte

sich in eine Ecke in Naomis Schlafzimmer. Sie kauerte da wie immer und ließ die Puppe Yvette Papier in Stücke reißen.

Sein Vater hatte Recht. Er war kein Schlagballspieler, so weit stimmte die Sache, das wussten jetzt auch die anderen Jungen. Und ob sie's wussten. Nein, er war kein Schlagballspieler. Aber auch kein Mensch mit Seele und keine Person. Er war ein Nichts. Er war gut in der Schule, aber was nutzt das schon. Alle Weichlinge sind gut in der Schule. Was er wirklich konnte, war Bücher lesen. Aber er würde nie so sein wie die Männer in den Romanen. Der erste Steuermann der *Bounty*. Der Graf von Monte Christo. Edison. Ben Hur. Nie.

Er war ein Nichts ... so wie Naomi auch. Warum sah sie ihn so an? Weil er genauso verrückt war wie sie. Die Verrückten erkennen sich untereinander, stimmt's? Und weiß Gott, er war verrückt. Anders als die anderen Jungen. Welcher gesunde, normale Junge säße denn in so einer Irrenzelle mit einer Handpuppe einer Irren mit ihrer Yvette gegenüber? Er war eben anders. Er fragte sich, ob er überhaupt ein Junge war. Vielleicht war da irgendein Trick. Vielleicht war er ein Mädchen? Entsetzen packte ihn: Hatten sie ihn deswegen für Naomi ausgesucht? Jetzt wurde er wirklich bald verrückt. Warum starrt sie mich so an? Kann sie nicht sagen, was los ist? Die Puppe hatte mit dem Zerreißen aufgehört.

»Warum sind Sie ... so traurig, Scharly ... *pourquoi?*«, fragte Yvette. Das hohe Puppenstimmchen piepste stoßweise, so wie ein kleiner Vogel ruft, der noch Angst vor sich selber hat. »*Pauvre* Scharly ... nicht weinen ...«, sagte die Puppe sanft.

Sie redete wieder! Was hatte er denn gemacht? Gar nichts! Lass jetzt Charlie etwas sagen, du Idiot.

Er brachte die Handpuppe in Sitzstellung. »He, Yvette, Mädchen, ich weine nicht, siehst du. *Bonjour*, Yvette.«

»*Comment ça va* ... Scharly?«

»He? Was heißt'n das?«

»Wie geht es ... Scharly?«, piepste Yvette.

»Prima, Yvette. Und dir?«, fragte Charlie.

Sie redete. Völlig verständlich. Wie ein Mensch. Naomi-Yvette.

»*Voilà*. Die Schuhe für ... Ballett«, sagte Yvette, etwas zögernd. Naomi zog Yvette die Puppenschuhe an. »Sie tanzen mit mir, Scharly? Ich tanze ... wenn Sie tanzen.«

»Machen wir. Prima«, sagte Charlie. »Es geht los, Naomi.«

Im gleichen Augenblick stürzte Naomi fort von Alan, ans äußerste Ende des Bettes. Der Mund war aufgerissen, die Augen waren voller Angst. Mit hoher, greller Stimme fragte Yvette: »Naomi? Wer ist das?«

Er blinzelte verwirrt. Du Vollidiot, sprach er zu sich, Charlie tanzt natürlich mit Yvette. Idiot. Sag's jetzt richtig!

»Ich meine ... es geht los, Yvette ...«

»Non.«

»Bitte.«

Aber Naomi zog Yvette die Puppenschuhe schon

wieder aus. Und gleich darauf war die Puppe wieder dabei, Papier zu zerreißen.

»Also morgen dann? Yvette, tanzt du morgen mit mir?«

Die Puppe riss und riss Papier entzwei. Naomis Gesicht war ausdruckslos. Alan fühlte wieder das Schlangenknäuel in seiner Brust. Wenn sie keine Antwort gab, war das wie ein weiterer Fehlschlag. Wie zehn Fehlschläge hintereinander. Kann man denn überhaupt nichts richtig machen?

»Yvette, bitte, morgen? Tanzt du dann mit mir, Yvette?«

Nach einer kleinen Pause sagte Yvette sanft: *»Oui. Demain soir . . .«*

»He?« Er kratzte sein Französisch zusammen um zu verstehen. »Eh . . . Morgen? Morgen Abend?«

»Oui.« Die Puppe zerriss Papier.

»Prima. Ich komme *demain soir,* Yvette. *Au revoir.*«

»*Au revoir,* Scharly«, sagte die Puppe.

Alan seufzte laut. Es hatte böse ausgesehen, aber es war kein Fehlschlag mehr gewesen. Vielleicht hatte er im Sinne seines Vaters heute so etwas wie eine Schlacht gewonnen. Es gab also eine richtige Naomi, so viel war sicher. Aber sie war so schwer zu fassen und zu halten wie ein Tröpfchen Quecksilber.

9

Sie waren auf dem Flugplatz oder jedenfalls auf dem Feld, das vom Holmes Airport übrig geblieben war. Es lag über zwei Meilen von ihrem Haus entfernt, aber an Samstagen, bei gutem Wind, marschierten Alan und Shaun mit ihren Modellflugzeugen hinaus. Shaun hatte eine Stinson Reliant, Alan seine Piper Cub.

Vor Jahren hatte es hier noch Vorführungen gegeben, Fallschirmspringen, Kunstflüge und Wettfliegen. Die unermüdlichen gelben und roten Maschinen hatten sich mit dröhnenden Motoren umkreist wie wütende Tiger. Jetzt war das Feld von Unkraut übersät und das Einzige, was noch an die laufenden Motoren und die Männer mit den Schutzbrillen erinnerte, war der Geruch versickerten Motoröls.

Sie liefen die Rollbahn bis zum äußersten Ende hoch, wo einst der Windsack gehangen hatte.

»Heia«, rief Alan, »der Wind ist gerade richtig.«

»Ja, das ist genau meine Sorte Wind«, rief Shaun zurück.

»Zehn Cents, dass mein Flugzeug länger oben bleibt als deins, beim ersten Flug?«

»Ich wette nicht.«

»O. K. Dann gleich um tausend Dollar.«

Shaun und Alan drehten die Propeller ihrer Modelle auf und die langen Gummibänder, die für den Antrieb sorgten, legten sich wie verdrehte Seile heillos übereinander. Alan hielt seinen Flieger hoch und stellte sich vor, er sei echt. STARTBEREIT ZUM

100-Meilen-Rennen. Sieger gewinnt alles. Silverman Nummer 5 in Piper. Kelly Nummer 8 in Stinson. Fertig. Bremsklötze weg. Los!

Die Flugzeuge stiegen auf und wendeten präzise, wie Vögel zum langen Heimflug. Sie gingen tiefer und bei jeder neuen Windströmung wieder höher.

»Schau sie dir an.«

»Aber meine ist höher, Silverman.«

Der Wind war wie ein lebendes Wesen, ein freundlicher Riese, der mit den Flugzeugen spielte, mal rauer, mal sanfter. Die Landung war vollendet, wie kostbare Geschenke wurden die Flugzeuge vor den Freunden abgesetzt.

Sie ließen sie noch eine Stunde lang fliegen. Dann legten sie sich einfach auf den Rücken, um noch ein paar richtige Flugzeuge zu beobachten, bevor sie heimgingen. Eine Möwe, die sich vom Long Island Sund hierher verirrt hatte, flog in einem lässigen Halbkreis über sie hinweg.

»Sieh dir die Möwe an«, sagte Alan. »So haben sie auch die Spitfire gebaut, nach der gleichen Form. Der Konstrukteur hat einfach Möwen beobachtet.« Mit der Hand schirmte er das Licht ab, um die hoch aufsteigende Möwe im Blick zu behalten.

»Ich habe den Film gesehen«, sagte Shaun. »Alles Quatsch. Bloß weil du Vögel beobachtet hast, kannst du überhaupt nichts konstruieren ... Keine Flugzeuge in Sicht. Komm, wir gehen. Vielleicht kriegen wir noch ein Schlagballspiel zusammen.«

»Mensch, das ist eine Idee. Heute kann ich spielen ... Nur an Wochentagen geht's nicht mehr.«

»Wieso denn? Was ist los?«

»Ich habe da was zu erledigen. Eine Art Dauerauftrag an Werktagen. Samstags kann ich das machen, wann ich will . . . Hat jedenfalls mit der Familie zu tun. Eine Art Geheimnis.«

»Ist dein Vater ein Trinker oder so was?«

»Mein Vater? Ich glaube, der hat in seinem Leben noch nichts getrunken, höchstens etwas Wein an Passah.«

»Was ist das?«

»Ein Fest. Um Ostern. Feiert die Flucht der alten Hebräer aus Ägypten.«

»Und da wird Wein getrunken? Prima Fest. Wie viel Flaschen für jeden?«

»Da wird nur genippt, beim Seder. Eine Art Feier. So ähnlich wie *Thanksgiving*. Meist besuchen wir die Großeltern. Wahrscheinlich wie du auch an Ostern. Stimmt's?«

»Mein Großvater ist noch in Irland«, sagte Shaun. »Ich habe ihn nie gesehen . . . Also was ist denn das große Geheimnis, das du nicht erzählen darfst?«

»Eben. Ich darf's nicht erzählen und damit hat sich's.«

Dabei drängte es ihn sehr, davon zu erzählen. Wenn er's nur gekonnt hätte. Es würde alles so viel leichter machen. Denn Shaun könnte ihm helfen, er könnte alles Mögliche tun. Er konnte Ziehharmonika spielen. Er konnte es ihr beibringen. Und wenn sie zu zweit wären – wer würde Alan dann noch Schisser nennen? Durfte man es ihm erzählen? Oder würde ihn Shaun nur verspotten, mit »Süßer Schmetterling« oder Ähnlichem und ihn auslachen so wie in der Schule? Hinter seinem Rücken mit allen andern über ihn lachen. Vielleicht kann man es trotzdem wagen. Shaun hatte Mitleid mit einem Nachtfalter, würde er weniger Mitleid mit Menschen haben, Teufel noch mal? Man kann es ihm sicher sagen ... vielleicht.

»Oh, übrigens, Shaun, ich wollte noch sagen, du kennst doch das Mädchen, das oben eingezogen ist –«

»Wen? Die ›Irre Ida‹?«

»Was? Was meinst du mit ›Irre Ida‹?«

»Bist du blind? Hast du sie nie im Flur gesehen, wie sie Zeitungen zerreißt? Die hat schon Papier vom Dach runtergeschmissen, bis Finch sie verjagt hat. Die ist verrückt. Alle Gänse sind irre, die ist nur noch irrer als die andern. Ist nicht einmal in der Schule. Ich wette, wenn die den Mund aufmacht, kommt nur Blech raus, bloß, du merkst es gar nicht, weil's französisches Blech ist.«

Sinnlos. Er hatte also doch Recht gehabt. Es ging nicht, man konnte ihm nichts sagen.

»Ich weiß nicht. Vielleicht spricht sie ganz gut Englisch. Viele Kinder in Europa lernen Englisch.« Er nahm sich zusammen um nicht preiszugeben, wie viel er schon wusste. Er kam sich wie ein Lügner vor.

»Ich wette zehn Dollar, dass sie nicht mehr als fünf Wörter Englisch kann. Das macht zwei Dollar pro Wort. Wetten?«

»Nein.«

»Weil du weißt, dass ich Recht habe. Die ›Irre Ida‹, die ist wirklich irre.«

»Warum nennst du sie dauernd so? Sie heißt Naomi ... soviel ich weiß.«

»Oh, jetzt ist der Groschen gefallen«, sagte Shaun, »und den geben wir auch gleich diesem netten jungen Mann hier für seine Menschenfreundlichkeit.«

»Wenn du sie ›Irre Ida‹ nennst, nennen sie bald alle so.«

Shaun setzte sich auf und sah Alan aufmerksam an.

»Was starrst du mich so an?«, fragte Alan. »Was gibt's?«

»Nichts. Hab bloß nachgedacht«, gab Shaun zur Antwort. »Komm, wir gehen nach Hause. Kommen keine Flugzeuge mehr. Nur noch Spitfires als Möwen getarnt.«

10

An diesem Abend spürte Alan gleich beim Eintreten, dass er eine andere Naomi vor sich hatte. Sie hatte klare Augen und lächelte schon halb, als sie Yvette die Schuhe anzog. Dennoch lagen noch überall Papierfetzen am Boden.

»Na, wie, Yvette?«, sagte Charlie, als Alan ihn auspackte.

»Nawie?«, fragte Yvette. »Was ist das?«

»Na, wie geht es?«, ließ Alan Charlie deutlich aussprechen.

»*Très bien.* Ist Zeit für Tanz, Scharly«, sagte Yvette mit der Puppenstimme. »Kommen Sie . . . aus *le pa-*

pier, nein ... Zeitung, und wir tanzen Polka oder Walzer, *oui*?«

Das lief ja großartig. Naomi war völlig gelöst. Kein Zögern mehr, kein Zurückweichen. Sein Vater hatte doch Recht behalten. Rede weiter! Rede immer weiter!

»He, Yvette«, sagte Charlie, »ich kann so gut wie kein Französisch, aber für eine Puppe sprichst du ganz gut Englisch.«

»*Merci.* Ich lerne von sie.«

»Von wem?«

»Sie! Sie!« Die Puppe deutete auf Naomi.

»Ach so, von ihr.«

»Von ihr, *c'est le dativ, n'est-ce-pas*?«

»*Oui*, ich meine ja«, sagte Charlie. »Das ist der Dativ, aber du musst ganz schön schlau sein, Yvette, dass du so viel Englisch kannst, was?«

»*Eh bien,* ich lerne Englisch mit viel Fleiß drei Jahre in die Schweiz«, sagte die Puppe. »Aber ist *difficile,* ich will sagen, schwere Sprache.«

»Französisch auch. Er lernt Französisch in der Schule«, sagte Alan und richtete Charlies Arm auf sich selbst.

»Oh, da ich bin gut. Ich weiß viel Französisch.«

»Ah ja, natürlich.«

»Ich kann fluchen in Französisch, ich weiß viele Wörter«, sagte die Puppe Yvette.

»Ah oui.«

»Sie auch?«, fragte Charlie und deutete auf Naomi.

»*Non. Non.* Sie ist stupid. Dumm. Sie ist *folle.*«

»*Folle?* Ist das ein Fluch?«

»*Non.* Ist verrückt im Kopf.«

Alan wusste jetzt nicht, was Charlie darauf sagen sollte. War ihr denn klar, dass sie ... also dass sie verrückt war?

»O. K., Yvette«, sagte Charlie. »Wollen wir tanzen?«

»Ukay.«

»Wie wär's mit einem Stepptanz?«

»Ukay.«

Alan stimmte einen Schlager an und ließ die Handpuppe im Takt hüpfen. Naomi ließ Yvette das nachmachen und bald tanzten die beiden Puppen in großen Sprüngen vom Bett zum Boden, auf die Kommode und wieder zurück. Dann ließ Alan Charlie auf dem Kopf tanzen. Sofort folgte ihm Yvette.

»Ich glaube, wir sind verkehrt herum«, sagte Charlie.

»*Non, non,* ich sehe das Gesicht von Scharly richtig. Wir sind richtig.«

»Du meinst, richtig herum.«

»*Oui,* richtig herum. Die Zimmer ist verkehrt.«

»Genau. Das Haus steht auf dem Kopf.«

»Die Tisch ist auf dem Kopf.«

»Und das Bett.«

»Dumme Zimmer. Macht Schwindel.«

Das war das erste Mal, dass Naomi lachte.

»He«, ließ Alan Charlie sagen, »ich muss mal verschnaufen. Du tanzt ja wie der Teufel, Mädchen.«

»Du auch«, sagte Yvette.

»Jawohl. Ich bin sensationell. Denn ich bin der berühmte Charlie ... Weißt du was, Yvette? Ich hab dich gern.«

»Ich hab dich gern, ich auch, Scharly. Du bist mein Freund, *oui*?«

»Sicher. Dann bist du . . .« Es fiel Alan schwer, es auszusprechen, selbst von Puppe zu Puppe. »Ehem . . . also meine Freundin, stimmt's?«

»*Ah oui*. Aber du bist *plus*. Nicht nur Freund für Tanz . . .«

»Wie meinst du das?«

»Du bist Freund. Bis jetzt ich habe keine Freund. Jetzt ich habe Freund.«

»Und ich habe eine Freundin«, sagte Charlie.

»Nächste Woche Sie lernen mir . . .«

»Du lehrst mich.«

»Du lehrst mich . . . amerikanische *Chanson, oui*?«

»Lieder? Sicher. Zum Beispiel?«

»Alle. Beispiel die Mexikanische Serenade. So schöne Melodie. Und amerikanische Hymne. Schwere Lied, die Hymne.«

»Ich weiß«, sagte Charlie. »Selbst ich kann sie nicht richtig. Also gut. Ich bring sie dir bei und du lehrst mich ›La Marseillaise‹.« Alan musste gerade in der Schule die Marseillaise lernen, die französische Nationalhymne.

»Das ist nicht Lied.«

»Aber die französische National –«

»Tot«, kreischte die Puppe. »Ist tot. Ich weiß nicht tote Lied. Sie da, sie weiß. Aber sie auch ist tot.« Naomi schleuderte die Puppe auf den Boden. Dann stürzte sie aufs Bett, in eine Ecke und drückte sich gegen die Wand.

Alan fühlte seine Kopfhaut eiskalt werden, sie spannte sich wie elektrisch aufgeladen. Schon wieder. Schon wieder das Falsche. Was macht man jetzt? Was kann man jetzt tun?

Er hob die Puppe auf und setzte sie behutsam auf die Bettkante. Naomi rührte sich nicht.

»He, Yvette«, ließ er Charlie zur Puppe sagen, »ich bringe dir ein großes Buch mit vielen Liedern aus der Bibliothek mit. O. K.? Für dich. Zum Lesen. *Oui,* Yvette?«

Naomis Lippen zitterten, als sie zu sprechen versuchte. Sie hob die Hand vor den Mund.

»Yvette. Was glaubst du, was wir zusammen für einen Spaß mit den Liedern haben werden. O. K.? . . . O. K.?«

Die Hand noch vor dem Mund, sagte Naomi mit zittriger Stimme für ihre Puppe: »U . . . ukay.«

»Also dann. Bis morgen, Yvette. *Au revoir* . . . Hör mal, sagst du nicht Auf Wiedersehen?«

Naomi rutschte auf dem Bett zu ihrer Puppe, zögerte, kroch dann näher und riss sie an sich. »*Au . . . au revoir,* Scharly«, ließ sie Yvette sagen, immer noch mit etwas bebender Stimme.

»Hör mal, Charlie spricht man mit ›Tsch‹ aus. Verstehst du, wie Tscharli.«

»Tsch.«

»Genau.«

»Charlie?« Naomis Puppenstimme klang schon etwas gefestigter.

»Sehr gut so.«

»*Au revoir,* Charlie.«

»*Au revoir,* Yvette.«

Alan seufzte erleichtert. Naomi hatte jetzt keine Angst mehr. Er ließ Charlie zum Abschied winken und Yvette winkte zurück. Am Ende hatte er es doch richtig gemacht. Zur Abwechslung war ihm einmal ein Ziellauf über sämtliche Male gelungen.

11

Alan legte noch ein Buch aus der Bücherei auf den wachsenden Bücherstoß. Detektivgeschichten mit Pater Brown. Alan war ganz hingerissen von dem stämmigen kleinen Priester, der seine Fälle mit einem Augenzwinkern löste.

Er hatte sich drei Liederbücher für Naomi genommen, eine Geschichte des Baseball, ein Zauberbuch und ›Der Ruf der Wildnis‹. Er wollte wenigstens noch einen Sherlock Holmes. Er ließ seine Blicke die Regale entlangwandern, von G. K. Chesterton hinunter bis Conan Doyle. Der einzige noch nicht ausgeliehene Sherlock Holmes war »Der Hund von Baskerville«. Der Titel packte ihn. Alan hatte den Film gesehen, der vom Anfang bis zum Ende unheimlich spannend gewesen war. Vielleicht war das Buch genauso schön und schaurig. Wieder ein Buch auf den Stoß.

In der Bücherei fühlte sich Alan immer beschwingt oder ärgerlich oder erregt. Schon die Titel allein konnten einen aus sich herausreißen in die Träume und Schreckensbilder anderer Menschen. ›Dracula‹ – was für ein Name! ›Der Graf von Monte Christo.‹ Degen so rasiermesserscharf, dass schon bei einer liebkosenden Berührung Blut geflossen wäre. »Der Mann mit der eisernen Maske.« Wer konnte da widerstehen? Die Titel waren wie Trommelwirbel, die einen zur Parade holten. Oder in den Krieg. Oder zu einem Blutgericht.

Er brachte seinen Stoß zu Mrs. Palumbo hinüber. Inzwischen hatten sie beide eine besondere Ausdrucksweise für ihre Gespräche entwickelt.

»Oh«, sagte Mrs. Palumbo, »du nimmst heute Bücher mit roten Umschlägen? Ich dachte, du hättest die roten Umschläge satt?«

»Nein, ich brauche jetzt Rot«, sagte Alan. »Für meine Flugzeughalle. Ich will die Halle rot.«

»Oh, natürlich. Wir haben sehr schöne rote Umschläge bei den Bilderbüchern. Wie wäre es mit ›Die drei kleinen Bären‹?«

»Nein, nicht so ein Rot.«

»Ja, es geht schon etwas ins Orange«, sagte Mrs. Palumbo. Sie stempelte die Buchkarten ab und biss sich auf die Lippen um nicht loszulachen. »Ein schönes Orangerot, so wie Goldlöckchens Haar.«

»Na, ich weiß nicht . . . Ich will mein Rot richtig rot. Verstehen Sie? Was andres wär's, wenn ich die Halle so rötlich haben wollte wie Goldlöckchens Haar.«

»Selbstverständlich«, sagte Mrs. Palumbo. »Reine Geschmacksfrage. Nun, Alan, acht Bücher waren es diesmal. Damit hast du heute deinen Weltrekord gebrochen.«

»Ich brauche nämlich jede Menge Hallen. Vielen Dank. Jetzt kann ich meiner Mutter ihr Hackbrett zurückgeben. War die falsche Farbe.«

Hier musste Mrs. Palumbo laut lachen, während Alan sich eisern bezwang. Es war die umgeschriebene Spielregel zwischen ihnen, dass der verloren hatte, der als Erster lachte.

Alan schleppte die Bücher nach Hause. Er wechselte den Stoß zum linken Arm, als der rechte anfing zu schmerzen. In seiner Wohngegend angekommen, steckte er die dünnen Liederhefte unter den Pullover; die andern brauchten sie nicht zu sehen. Bücher über Zaubern und Baseball, das ging noch. Aber Liederbücher . . .?

»Guck mal, der Bücherwurm«, rief Carl Newman.

»Jetzt hat er die ganze Bibliothek geklaut«, brüllte Joe Condello.

Am liebsten hätte Alan irgendwas zurückgebrüllt, aber er hielt den Mund. Es fiel ihm ein, dass Joe einmal ein Comicheft gelesen und ihn dabei gefragt hatte, was »ruchlos« bedeute. Alan hatte es ihm erklärt: »Also wenn einer zum Beispiel seinen Geruchssinn verliert. Er kann nicht mehr riechen, verstehst du? Dann ist er ruchlos.« Joe hatte das damals geglaubt. Alan fühlte sich im sicheren Treppenhaus wohler.

Am Abend erwartete ihn Naomi zum ersten Mal im Wohnzimmer. Sie schien völlig gelöst und fröhlich. Als sie dann in ihr Zimmer gingen, sah Alan auch keine Papierschnitzel herumliegen. Das war ein gutes Zeichen. Das war wie eine Gewinnsträhne und Alan sagte sich: Bloß nicht lang darüber nachdenken, sonst verpatzt du noch alles wie ein Werfer in einem Spiel ohne Treffer.

Als Naomi die vielen Lieder sah, ließ sie Yvette begeistert hochhüpfen.

»So viele Lieder. *Magnifique. Merci,* Scharly«, piepste die Puppe. »Du bist *merveilleux,* wunderbar, *sans doute.*«

»Charlie mit Tsch.«

»Charlie.«

Alan legte die Bücher auf das Bett. »›Tausendundein Lied für alle Gelegenheiten.‹ Mal sehen ... Da ist ein Lied für'n Herbst. Passt gut. Wir haben schon fast Herbst. ›Das Lied der Blätter‹ ... hm, sieht nicht sehr berauschend aus.«

»Hier ist ein Lied für Regentag«, sagte Yvette, »nächste Seite für Sonnetag. Verrückte Buch. *Peut-être* sie haben auch Lied für ... wie sagt man? ... Urakan? ... Hurrikan! Und Lied für Erdbeben.«

»Erdbeben können wir gar nicht brauchen«, sang Charlie, während Alan schon den nächsten Reim suchte, »... weil wir auf dem Bauche krauchen. Erdbeben sind nicht sehr gut ... wart mal –«

»Erdbeben sind nicht sehr gut«, übernahm Yvette, »heute ist schon große Flut.«

»Hier ist die amerikanische Hymne«, sagte Charlie, während Alan ein andres Buch durchblätterte.

»Wo ist das Lied vom Regenbogen?«, fragte Yvette.

»Weiß nicht. Die Lieder hier sind alle alt«, antwortete Charlie. »Willst du nicht lernen ›Ich war mal bei der Eisenbahn‹?«

»*Non.* Ich will lernen ›Apfelbaum‹.«

»Du meinst wohl ›Sitz nicht unterm Apfelbaum‹?«

»*Ah oui.* Und ›Lobet der Herr und ladet Gewehre‹. Und die Lieder in die Radio.«

Das überraschte Alan. ›Lobet den Herrn und ladet die Gewehre‹ war ein Kriegslied und in gewisser Weise auch ›Sitz nicht unterm Apfelbaum‹. Sie kann die Lieder nicht mit dem Krieg in Frankreich in Verbindung gebracht haben. Aber mit welchem Krieg dann? Auf alle Fälle, dachte Alan, fangen wir sicherheitshalber erst einmal mit ganz anderen Liedern an.

»Hier, das ist Klasse. Du hast doch letztes Mal nach der Mexikanischen Serenade gefragt. Hier ist es. Fangen wir mal damit an. O. K.?«

»Ukay.«

Innerhalb der nächsten Stunde brachte Alan über die Zwischenstationen Charlie-Yvette Naomi vier neue Lieder bei. Sie brauchte sie offenbar nur ein paar Mal zu hören um sie fehlerfrei zu behalten. Mrs. Liebman hatte Recht gehabt: sie war tatsächlich gescheit. Aber wie kann jemand so gescheit und gleichzeitig so verrückt sein? Wenn sie wirklich verrückt war. Wenn sie aber nicht wirklich verrückt war, warum hatte sie zwei Wochen lang nur rumgesessen und Papier in Stücke gerissen?

Das war alles ziemlich verwirrend. Macht richtig Spaß mit ihr zu singen, dachte er. Wenn ich singe und Shaun ist dabei, gibt der bloß Brummer von sich. Müsste ich eigentlich auch machen, wenn er Ziehharmonika spielt.

»Ah Charlie«, sagte Yvette, während Alan nach einer Stunde die Puppe wieder einpackte, »wirklich, ich habe nicht gesingen so lange Zeit. Ist wie laufen, wie sagt man ... *nu-pieds* ... mit ohne Schuhe?«

»Barfuß?«, fragte Charlie.

»Ah oui«, antwortete Yvette. »Ist wie laufen barfuß in nasse Gras, so gut.«

Sie hatte Recht. Genauso fühlte man sich. Shaun hätte so etwas nie sagen können. Nicht einmal seine Mutter. Und dann sagten die Leute, sie sei verrückt.

Als sie dann Yvette noch einmal eines der Lieder singen ließ, hatte Alan plötzlich die Vorstellung, Naomi sei seine Schwester. Vielleicht war das Baby gar nicht gestorben? Vielleicht war es Naomi?

Verrückter Einfall. Und doch kam es Alan so vor, als kenne er Naomi von irgendwoher, seit langer, langer Zeit. Die Augen, das Gesicht – das war ihm zutiefst vertraut. Wo war er ihr nur schon begegnet?

Da war nur Dunkelheit. Er hatte das Gefühl, er habe sie einst im Dunkel gesehen. Doch wo?

12

In diesen Wochen hatte Alan manchmal das Gefühl, die Bauchrednerpuppe Charlie hätte ein Eigenleben gewonnen. Auch die Puppe Yvette schien oft sehr lebendig. Manchmal vergaß er auch, dass er es war, der redete. Dann ließ er Charlie Sachen sagen, die er selbst nie sagen würde. Charlie rief einmal aus seiner Zeitungsverpackung heraus: »He, Yvette, wo steckst du denn, du süßer Fratz?«

Und Yvette schlüpfte unter dem Kissen hervor. »*Allo! Je suis ici,* Charlie-Fratz.«

Yvette – und das heißt Naomi – wollte alles wissen, nicht nur Liedertexte. Was heißt »Polente«? Wieso geht man »vor die Hunde«? Wer will denn »die Kurve kratzen«? Alles Mögliche, was Alan so geläufig und selbstverständlich war, verwirrte sie völlig.

So wurde Charlie unter Alans Führung ein Lehrer mit einer einzigen Schülerin in der Klasse: Yvette. Es war eine sehr mutwillige Schülerin, die sich manchmal unterm Kissen verkroch oder sagte: »Kuckuck, Kuckuck, ich bin eine Kuckucksuhr, es ist Zeit zu essen.«

Naomi-Yvette zu unterrichten machte Spaß. Alan kam sich vor wie Mr. Danowitz, der Biologielehrer, groß gewachsen, gelassen und unheimlich schlau. Aber oft überkam ihn auch das Verlangen, runterzurennen zu den andern und mitzuspielen, zu schwitzen und zu spucken und zu fluchen, wenn er einen Ball nicht abfing. Für einen sauberen Treffer auf die Schulter geschlagen zu werden, den Ball fehlerlos zu fangen, bei Shaun zu sein – das alles fehlte ihm sehr.

Er konnte kaum die Wochenenden erwarten. Da durfte er ein Doppelleben führen, eines mit Shaun, eines mit Naomi. Er rannte sich den ganzen Tag die Seele aus dem Leib und saß danach erschöpft in Naomis Zimmer, wo Charlie seine Schülerin besuchte. Das hatte jetzt schon mehrmals sehr schön geklappt.

Am Samstag meinte Shaun, sie könnten die Flugzeuge steigen lassen, und sie pilgerten nach Holmes hinaus. Mit Shaun allein zu sein, das war schon prima, weit weg von Joe Condello, Carl Newman und den andern. Shaun war in albernster Stimmung – es war der Shaun, der Alan am liebsten war.

Auf ihrem Weg hielt Shaun inne um einer weggeworfenen leeren Milchflasche über die Straße zu helfen. Er hob sie auf und setzte sie auf der anderen Seite wieder ab.

»Na, du Fläschchen?«, sagte er. »Meine gute Tat für heute. Bin nicht wie Alan Silverman, der kein Herz für Flaschen hat. Nun lauf schön zu deiner Mutti, kleines Fläschchen.«

Das ging den ganzen Nachmittag so weiter. Auf dem Flugfeld fand Alan ein Holzlöffelchen von einem Eisbecher. Er scharrte ein Loch in den Boden und legte den Löffel hinein. »Möge er in Frieden ruhen«, sagte Alan. »Tote Löffel spuken nämlich sonst.«

»Silverman, du hast einen Knall«, sagte Shaun. »Tote Löffel kommen direkt in den Himmel.«

»Weiß man nicht genau. Von mir kriegt er ein Grab wie für einen Feldherrn.« Alan häufelte ein paar Steine auf das Grab und steckte ein Stöckchen oben durch die Spitze. »So. Und jetzt wollen wir mal sehen, ob wir seine Witwe finden.«

Der Unsinn dauerte an. Auf dem Heimweg hielten sie die Flugzeuge in der Hand, so, wie kleine Kinder »Flieger« spielen, und in den verschiedenen Windströmungen ihrer Fantasie reckten sie die Hand oder zogen sie wieder ein. Alan war ganz bei der Sache und imitierte die verschiedenen Motorengeräusche, bis ihm die Kehle weh tat. Als sie sich ihrer Straße näherten, stellte Alan den »Flugbetrieb«

ein; die anderen Jungen konnten ihn vielleicht sehen. Shaun aber machte weiter, die andern waren ihm offenbar egal.

Sie bogen um die Ecke, da war gerade ein Schlagballspiel im Gange.

»He!«, rief Shaun, »könnt ihr noch zwei gebrauchen? Noch einen auf jeder Seite?«

»Hört euch das an!«, schrie Joe Condello. »Unzertrennlich wie Kletten, und jetzt gehen sie auseinander.«

»Sind gleich zurück, verstauen nur die Flugzeuge!«, rief Shaun.

Shaun spielte immer noch »Flieger«, als sie zum Vorplatz kamen. Außer Sicht der andern spielte auch Alan wieder mit und stellte sich vor, dass sein Flieger in eine gewaltige Höhle eindringt, in der das deutsche Oberkommando in geheimer Sitzung tagt. Hitler, Goebbels, Göring, die ganze verkommene Gesellschaft beriet da über die Vernichtung der Alliierten. Und hier kam Alan Silverman in seiner Piper Cub mit seinem Freund und Kopiloten Kelly, dem Schrecklichen, nur mit Pistolen und ein paar Handgranaten bewaffnet, und kreiste in der Höhle auf der Suche nach dem Feind. Die Ausschaltung Hitlers war nur noch Sache von Sekunden.

Alan erstarrte. Die Treppe hinunter kam Naomi, die Puppe im Arm. Heiliger Strohsack, dachte Alan, sie ist doch viel zu alt um Puppen herumzuschleppen. Sieht doch aus wie nicht bei Trost. Ihre Mutter kam hinterher, ganz in Schwarz, wie in Trauer. Sehen beide aus wie aus der Klapsmühle, dachte Alan. Richtig wie aus der Klapsmühle. Er lief mit seinem

Flugzeug im großen Kreis über den Vorplatz, um größtmöglichen Abstand zu gewinnen. Im Vorplatzspiegel sah er, wie ihre Mutter sie zur Tür führen wollte und wie Naomi auf ihn zuging.

»Die ›Irre Ida‹ im Anmarsch«, flüsterte Shaun. »Was ist los mit ihr? Sonst rennt sie immer vor mir weg.«

Alans Gedanken rasten durcheinander und suchten nach Ausreden um alles abzufangen, was sie vielleicht sagen oder tun könnte. Warum ging sie nicht einfach raus?

»Naomi, loss'm alain!«, rief ihre Mutter hinter ihr her.

Alan verstand sofort. Naomi, lass ihn in Ruhe. Das war nicht Französisch, es war Jiddisch. Seine Mutter sprach oft Jiddisch um etwas besonders hervorzuheben oder um etwas zu verspotten oder um eine witzige Geschichte zu erzählen.

Ja verdammt, dachte Alan, lass mich in Ruhe.

Jetzt stand Naomi vor ihm. Sie hielt ihre Puppe hoch und ließ sie mit der Stimme Yvettes piepsen: »Charlie? Bist du da?«

Alan sah Shaun an, aber es fiel ihm keine Ausrede ein. Shaun tippte sich an die Stirn um anzudeuten, bei ihr sei eine Schraube locker. Klar, dachte Alan, sie muss ihm ja verrückt vorkommen.

»Bitte Charlie, besuche mich heute, *oui,* Charlie? Bitte.«

»Aber ja doch, jederzeit«, sagte Alan, als er sich an ihr vorbeidrückte und seinen Flieger zur Treppe fliegen ließ. Shaun kam hinterher und wollte ihn überholen.

Er hatte sein Möglichstes getan. Oder vielleicht

nicht? Schließlich hatte er gewissermaßen Ja gesagt und gleichzeitig konnte Shaun glauben, Alan sei nur einer Irren ausgewichen. Warum denn auch nicht?

Von unten rief Naomi: »Charlie! Du bist Freund. Bitte. Bitte.«

Alan hätte am liebsten sofort zurückgerufen: »Ja, ja. Ich bin dein Freund, Naomi-Yvette, immer.«

Aber er rief es nicht. Er brachte es nicht fertig. Warum muss das nur so sein, dass man immer irgendeinem wehtut, egal, was man macht oder nicht macht.

13

Alans Vater stand im Wohnzimmer vor seiner Kriegskarte und verglich die Frontverläufe mit den neuesten aus der Abendzeitung. Alan ging geradewegs in sein Zimmer ohne im Vorübergehen seinen Vater auch nur anzusehen; unmissverständlich brachte er zum Ausdruck: *Ich will nicht über Krieg und solche Sachen sprechen, lasst mich in Ruhe.*

Sein Vater schaute auf und wollte gerade den Mund aufmachen, da hatte Alan schon die Zimmertür hinter sich zugeschlagen. Er warf sich auf sein Bett und legte ein Kissen auf seinen Kopf.

Wenn sie sich so was mal bei einem Schlagballspiel leistete – was da alles los wäre. Er würde jetzt dauernd vor ihr weglaufen müssen, als hätte sie

Scharlach oder die Pocken. Und überhaupt, warum hatten sie ihn, Alan, dafür genommen? Weil er so »lieb« war? Bei diesem Wort boxte er mit der Faust ins Bett. Für einen winzigen Augenblick dachte er: Was geschieht wohl, wenn sie mal näher kommt und ich drohe ihr mit dem Schlagballschläger? Dann würde sie ihn in Ruhe lassen, da kannst du Gift drauf nehmen. Dann hätte auch das »Liebsein« ein Loch.

Nein, das war ein böser Gedanke. Wie konnte man nur jemanden hassen und gleichzeitig gern haben? Ja, das gibt's, die Mutter zum Beispiel manchmal und manchmal den Vater. Aber das waren Eltern, die liebte man, auch wenn sie einem hie und da den Nerv töteten. Naomi – die liebte er natürlich nicht. Was bedeutete sie ihm? Nichts. Ein verrücktes Mädchen vom oberen Stock, genau das, was sie auch schon vor einem Monat war . . . Aber das stimmte ja nicht. Sie war jetzt Naomi-Yvette. Seine Freundin. Und er war ihr Freund.

Also gut, sie waren Freunde. Bloß, wie hielt man sie davon ab, dauernd hinter einem herzurennen? Man sollte vielleicht Mrs. Liebman klarmachen, dass er und Naomi nur innerhalb der Wohnung befreundet sein konnten. Man könnte auch Charlie Yvette erklären lassen, sie hätten eine Geheimfreundschaft. Gar nicht so übel – geheime Freunde; die geben sich nicht zu erkennen, weder auf der Straße noch im Treppenhaus. Sonst wäre es ja nicht mehr geheim. So könnte es gehen. Einen geheimen Freund, den wünscht sich doch jeder. So würde er es einfädeln heute Abend. Er würde es schon hinkriegen.

Jemand klopfte leise an die Tür. Alan setzte sich

aufrecht hin und schleuderte das Kissen fort. Es war das Klopfen seines Vaters. Vielleicht hatte er schon länger geklopft und er hatte es wegen des Kissens überhört.

Plötzlich fiel ihm das Schlagballspiel ein. Die warteten doch unten …

»Alan, kann ich dir etwas sagen?«, fragte sein Vater noch vor der Tür.

»Klar.«

Sein Vater trat ein und setzte sich auf den Bettrand. »Wie geht es dir?«, fragte er. »Als du vorhin reingekommen bist, hast du so grimmig geschaut.«

»Alles in Ordnung.«

»Gut. Dann werde ich reden … Deine Mutter hat Angst, dich zu bitten. Sie hat Angst, du gehst in die Luft.«

»Ich gehe nicht in die Luft.«

»Was sagst du mir da? Dein Gesicht wird rot. Du atmest tief. Und du gehst in die Luft. Wie das Feuerwerk am 4. Juli, am Unabhängigkeitstag von Amerika. Nu, das Temperament deiner Mutter, du hast es geerbt. Ist gut. Ist gesund. Hält Leib und Seele zusammen.«

»Was will sie von mir?«

»Was sie will? Schau, Alan, das Mädchen da oben, dem du hilfst, Naomi, geht zu einem Doktor. Einmal in der Woche. Man redet zusammen. Über alles. Wie alles geht. Was man tun muss. Du verstehst.«

»Ich verstehe gar nichts.«

»Also, wie deine Puppe zu ihrer Puppe spricht. Du weißt, was ich meine.«

»Meine Bauchrednerpuppe –«

»Bitte sehr. Deine Bauchrednerpuppe. Also sie sprechen. Und der Doktor sagt, kolossal, was du gemacht hast. Ihr seid Freunde, du hast das gemacht mit ihrer Puppe und deiner Puppe – Bauchrednerpuppe. Sie hat Vertrauen. Kolossal! Das Wort hat er gesagt, der Doktor. Mrs. Liebman hat es deiner Mutter erzählt. Du musst stolz sein ... Was ist los? Wie schaust du? Ich habe gesagt, es war kolossal.«

»Ich warte nur, was jetzt kommt. Da kommt doch noch etwas nach dem ›Kolossal‹«, sagte Alan. Ihn überkam ein wohl bekanntes Gefühl hilfloser Verzweiflung.

»Alan, du hast Recht. Es kommt was. Was nach dem ›Kolossal‹ kommt, ist: sie darf nicht abhängig werden von der Puppe. Die Puppe darf nicht ihre Krücke werden. Verstehst du?«

»Ich dachte, es wäre kolossal?«

»Richtig. Als erster Schritt. Jetzt der nächste Schritt. Du musst helfen. Du musst anfangen mit ihr zu sprechen. Direkt. Mit Naomi Kirschenbaum.«

»Kann ich nicht. Ohne die Puppe spielt sie nicht mit.«

»Man muss es versuchen. Du musst ihr die Puppe, wie man so sagt, abgewöhnen. Ja?«

»Na klar. Ich muss das tun. Ich muss alles tun. Die müssten mich bezahlen statt den Eierkopf aus der Klapsmühle.«

»Das mag ich nicht, Alan. So spricht mein Alan nicht.«

»Immerhin, ich mache all die Arbeit. Oder?«

»Der Arzt arbeitet sehr hart. Und wenn du es wissen willst: umsonst. Und wenn er sagt: ›Schluss mit den Puppen!‹, dann ist Schluss.«

»Aber sie ist zu Tode erschreckt ohne ihre Puppe. Ich hab's versucht. Es geht nicht ...« Alan stand auf und knallte eine Schublade in ihr Fach zurück.

»*Was a Tummel.* Was für ein Krach. Deine Mutter hatte Recht. Der 4. Juli ... Hör zu, Alan, du verstehst nicht. Du machst langsam, vorsichtig. Nicht sofort alles. Sanft. Ein bisschen. Dann noch ein bisschen. Verstehst du?«

»O. K., ich mach's«, sagte Alan. »Aber wenn was schief läuft, ist der Doktor schuld, ich nicht.«

»Nicht mehr als recht und billig.«

»Und was ist mit ihr? Zählt sie gar nicht?«

»Doch. Es ist eine Operation, Alan. Du musst manchmal schneiden, damit du helfen kannst. Das Leben ist nicht immer Abendrot und Mondschein. Bei deinem Blinddarm war auch nicht alles Abendrot und Mondschein, oder?«

»Weiß Gott nicht.«

»Aber du kannst jetzt essen – Hotdogs, Hamburger, alle möglichen Schweinereien – ohne Bauchweh. Alan, es gibt eine Welt der Wirklichkeit, sie muss sie essen können und verdauen sozusagen. Verstehst du? U-Bahnen, Schule, Parks, Freunde, sogar Feinde, alles. Das Leben. Verstehst du?«

Alan setzte sich wieder aufs Bett und überlegte. »Ich weiß nicht«, sagte er, »vielleicht wäre sie mit ihrer Puppe besser dran.«

»Alan, das ist kein Leben, das ist Tod. Das Ende einer Person.«

»Also gut. Ich hab Ja gesagt. Bloß, wie erkläre ich ihr jetzt die Sache mit der geheimen Freundschaft?«

»Was ist das?«

»Ich hab mir gedacht . . . ach, vergessen wir's.«

14

Am Montag ließ Alan fast die ganze Zeit Charlie mit Yvette spielen, so wie immer, aber zum Schluss fragte Charlie: »He, Yvette, hast du gewusst, dass ich Charlie Silverman heiße? Ziemlich seltener Name, was?«

»*Oui,* sehr komischer Name. Was ist Silverman?«

»Du weißt doch.«

»*Non.* Ich weiß nicht.«

Charlie deutete auf Alan. »Es ist sein Name. So heißt er. Alan Silverman.«

»Er ist weg. Verschwunden.«

»Oh . . . Und wie heißt du, Yvette? Ich meine, dein richtiger Name?«, fragte Charlie.

»Ist Yvette.«

»Das ist der Vorname. Aber der Familienname?«

»*Oui.* Ist Yvette. Ich heiße Yvette Yvette. Und ich habe auch Mittelname. Ist noch Yvette. Komplett, ich bin Yvette Yvette Yvette. Meine Mutter sagt Simone. Zu Hause, mein Name war Simone Yvette Yvette, aber in die Schule Yvette Yvette Yvette. Ist verrückt, ja?«

Um ein Haar hätte Alan gefragt, ob sie nicht in Wirklichkeit Yvette Yvette Kirschenbaum heiße, aber das schien ihm dann doch etwas zu plötzlich. Langsam, sanft, hatte sein Vater gesagt.

»Aha«, sagte Charlie. »Und wo ist deine Mutter jetzt?«

»Meine Mutter ist fort. Verschwunden.«

»Aber wer war sie denn, als sie noch da war?«

»Ah, sie«, sagte Yvette und deutete auf Naomi. »Aber sie ist fort.«

»Aber wer ist denn alles im Zimmer?«

»Wir! Wir sind hier, Charlie«, sagte Yvette.

Es hatte keinen Zweck. Sie wand sich jedes Mal heraus. Wenn Naomi nicht anwesend war, konnte man auch nicht mit ihr reden. An diesem Nachmittag ließ er das Thema ruhen.

Bevor er abends zu Bett ging, überlegte er sich, wie man Naomi dazu bringen konnte, ihn richtig wahrzunehmen und ihn auch anzusehen und nicht Charlie. Wenn er aber Charlie nicht mitbrachte, würde Yvette wahrscheinlich den Mund gar nicht aufmachen.

Alan wühlte in seinem Schrank und hoffte eine Anregung von den alten Spielsachen und Spielen zu bekommen. Das hatte er nun schon ein Dutzend Mal gemacht, immer auf der Suche nach einer neuen Idee; dieser Haufen kaputter, alter Sachen widerte ihn an. Auf einmal sah er seinen schäbigen Zauberer-Zylinder und seine Gedanken sausten durcheinander. Er würde sich ganz verrückt verkleiden, so dass sie ihn einfach ansehen musste. Wo war jetzt bloß der falsche Schnurrbart, der zum Zylinder gehörte?

Eine halbe Stunde lang warf er die Sachen in seinem Schrank durcheinander, bis er endlich auf die

Überreste des schwarzen Schnurrbarts stieß, die sich in der Domino-Schachtel versteckt hatten. Er probierte Zylinder und Schnurrbart aus. Nicht übel – für einen landfahrenden Zauberkünstler. Charlie würde den Assistenten machen. Jetzt konnte sie ihn nicht mehr übersehen.

Am nächsten Nachmittag trat Alan mit Zylinder und Schnurrbart an. Mrs. Liebman lächelte, als sie ihn zu Naomis Zimmer führte.

»Ist noch kein Karneval«, meinte sie, »aber du wirst trotzdem zugelassen. Außerdem eine kleine Belohnung.« Sie reichte ihm aus ihren scheinbar unerschöpflichen Vorräten wieder einen Schokoladenriegel.

»Danke, aber die mit Nüssen mag ich nicht«, sagte Alan und gab ihr den Riegel zurück. Wenn sie doch nur einmal aufhörte, ihn dauernd belohnen zu wollen. Allmählich kamen ihm Zweifel, ob Mrs. Liebman wirklich so nett war, wie seine Mutter dachte.

Naomi lag auf ihrem Bett und las ein Buch mit französischem Titel. Alan kam sich mit dem Schnurrbart und Charlie in der Hand etwas dämlich vor. Wie sie so dalag, schien sie ganz normal und intelligent.

Naomi schaute auf, und als sie Alans Schnurrbart erblickte, verschwand das Lächeln aus ihrem Gesicht. Sie griff nach Yvette und hielt sie hoch. »Charlie, komm heraus bitte«, rief Yvette.

»Platz nehmen für die Zauber-Vorstellung«, sagte Charlie. »Ich bin nur der Assistent, er ist der große Zauberkünstler.«

»Ah nein. Ich hasse das, zaubern«, sagte Yvette. »Ist nur Schwindel. Ich will singen, Charlie, mit dir.«

Er probierte es noch ein paar Mal, aber er konnte Naomi-Yvette nicht dazu bewegen, sich seine Kunststücke anzusehen. Immer wieder fand sie einen Grund, um Alan nicht als Alan zur Kenntnis nehmen zu müssen.

Am Donnerstag war Alan schließlich überzeugt, dass sie Yvette und Charlie niemals aufgeben würde. Als er seinem Vater erklärte, wie unmöglich das war, meinte der, das sei wahrscheinlich der Beweis dafür, dass der Arzt Recht hatte. Wenn etwas einfach ist, kann es auch nicht so wichtig sein. Also, weitermachen. Weiter versuchen. Na schön. Er würde es weiter versuchen. Nur, es war hoffnungslos.

Am Freitag hatte Alan eine Idee. Die ganze Zeit hatten Charlie und Yvette immer wieder Schule gespielt. Heute würde Alan sich selbst in das Schulspiel einbeziehen: als Mr. Boomladle, der Direktor, der die Klassen inspizierte.

»Alle mal herhören«, ließ Alan Charlie sagen: »Mr. Boomladle besucht uns. Yvette, bitte erzähle Mr. Boomladle, was du über Abraham Lincoln gelernt hast.«

»Er hat die Sklaven befreit«, sagte Yvette. Aber die Puppe sprach nicht in Richtung Alan, sondern zu der Wand genau hinter Charlie.

»Ich bin Mr. Boomladle«, sagte Alan mit tiefer Stimme. »Bitte sprich direkt mit mir, mein Kind.«

»Aber Boomladle ist dort«, sagte Yvette. Naomi ließ die Puppe auf einen Punkt über Charlies Kopf deuten. »Ist dicker Mann mit roter Nase.«

»Wenn das Boomladle ist«, fragte Charlie und deutete auf Alan, »wer ist dann das?«

»Ist Tafel«, sagte Yvette voller Überzeugung.

Hoffnungslos. Einfach hoffnungslos. Was blieb noch? Womit könnte er es noch mal versuchen? . . . Die Geheimfreundschaft. Wenn sie darüber redeten, fühlte sie sich vielleicht sicherer.

»He, Yvette. Hören wir auf mit der Schule«, sagte Charlie. »Wir müssen dringend was besprechen. O. K.?«

»Ukay.«

»Yvette«, sagte Charlie, »ich bin doch dein Freund. Oder?«

»Ah oui.«

»Und du bist meine Freundin. Wir sind Freunde. Immer. Selbst wenn ich in seinem Schrank liege und du in ihrem – wo immer du liegst –«

»Ich schlafe in Kommode-Schublade«, sagte Yvette, »ganz dumme Ort.«

»Aber wir sind immer geheime Freunde. Nicht wahr?«

»Certainement.«

»Und niemand darf es wissen. Sonst wäre es ja kein Spaß. Wir sollten nicht mal auf der Straße zusammen reden, auch nicht auf dem Vorplatz oder im Flur. Nirgends, nur hier. Dann sind wir wirkliche geheime Freunde. O. K.?«

»Ukay.«

»Mensch, das ist fabelhaft.«

So weit, so gut. Die Puppen waren geheime Freunde. Jetzt der nächste Schritt, und der war entscheidend. Nichts mehr mit Boomladle oder Charlie. Sondern Alan-Naomi direkt. Das wollten sie haben. Das würden sie bekommen. Eine Woche war genug.

»Und du, Naomi?«, fragte Alan mit unverstellter Stimme. »Willst du nicht auch meine geheime Freundin sein? Ich wäre auch gern dein geheimer Freund.«

»Charlie«, piepste Yvette, »Charlie, wir sind geheime Freunde, ukay?«

»Naomi, ich möchte, dass du auch meine geheime Freundin bist. Ich heiße Alan.«

»Non! Non!« Naomi riss die Puppe Charlie an sich und schleuderte sie gegen die Wand. Charlies Kopf, schon immer lose, flog jetzt abgetrennt durch die Luft.

»Non!« Naomi ließ sich zu Boden fallen und kroch unter ihr Bett. Mrs. Liebman und Mrs. Kirschenbaum stürzten ins Zimmer, aber Alan bemerkte es nicht. In seinem Kopf tönten Signale durcheinander wie in einem wild gewordenen Radio. Los, Idiot! Tu was! Schnell! Charlie. Schnapp dir Charlie!

Er angelte sich Charlies Kopf unter der Kommode hervor, drückte ihn auf den Puppenrumpf und ließ Charlie wieder sprechen.

»He, Yvette. Yvette! Sieh mal. Alles in Ordnung. Hier spricht Charlie. Charlie. Bin wieder da. Die machen mich schon zurecht. Guck doch mal. Yvette, guck doch!«

Schweigen. Alan schaute unters Bett. Naomi lag hinten an der Wand, beide Fäuste vor dem Gesicht. Die sollten mal einen Arzt holen, dachte er. Da muss jemand kommen. Was kann ich denn hier tun?

Gib ihr Yvette! Alan ließ die Puppe mit Schwung

zu Naomi gleiten, die mit einem Arm dagegenschlug, so dass sie auf die gegenüberliegende Wand prallte.

Mach was! Irgendwas! Lass Charlie mal mit Naomi reden. Versuch's halt.

»He, hier bin ich, Charlie. Ich bin der Freund von Yvette. Aber auch dein Freund. Komm doch raus . . . Naomi.«

»Merde!«, schrie Naomi. *»Merde! Merde!«*

Nicht aufhören. Weitermachen. »Nun komm doch, Naomi, komm doch heraus«, sagte Alan sanft mit seiner normalen Stimme.

Mrs. Liebman legte die Hand auf Alans Schulter. »Pst, Alan. Genug für heute. Komm. Sie wird sich schon erholen. Komm.«

»Gleich«, sagte Alan. Ganz schlecht war das alles gelaufen. Miserabel.

»Au revoir. Au revoir, Naomi«, flüsterte er Naomi zu. »Ich bin dein Freund. Willst du mir nicht wenigstens *au revoir* sagen, Naomi?«

Da war ein langes Schweigen unter dem Bett. Dann rührte sich etwas und Naomi sagte in der Stimme Yvettes: »Sie ist tot . . . sie ist tot . . . tot.«

Was konnte man da sagen? Alan schaute Mrs. Liebman und Mrs. Kirschenbaum an, aber sie wussten auch keine Hilfe.

»Es wird alles gut«, sagte Mrs. Liebman. »Alles gut. Bitte komm wieder, bald . . . ja? Bitte.«

Gar nichts war gut. Gar nichts. In seinem Kopf schwärmten die Gedanken wie zornige Bienen. Ich hab alles kaputtgemacht, ich Schwachkopf. Alter

Blödmann. Meine Schuld. Ich mach alles falsch. Jedes Wort ist Quatsch. Jetzt geht's ihr schlimmer als vorher. Jetzt hat sie nicht einmal Yvette. Alles meine Schuld.

15

Offenbar hatten sie sich irgendwann in dieser Nacht getroffen, dachte Alan. Eine geheime Besprechung. Seine Eltern. Mrs. Liebman, Mr. Liebman, vielleicht Mrs. Kirschenbaum und wahrscheinlich sogar der Arzt. Wer weiß, ob sich nicht halb New York versammelt hatte, während er schlief.

»Ein Ruhetag, Alan«, hatte seine Mutter am Morgen gesagt. »Für dich. Für sie. Ein Tag Ruhe, wir haben gedacht, das ist besser. Geh ins Kino, in die Mittagsvorstellung. Mit den andern. Kauft euch Eiscreme, Popcorn, was ihr wollt. Ich lade euch ein. Auch deinen Kelly-Freund. Geh nur. Viel Vergnügen. Aber hör auf so zu gucken.«

»Ich hab alles kaputtgemacht.«

»Vergiss das. Geh ins Kino. Wenn ich mach *so a Tummel* wie du jedes Mal, wenn eine Kleinigkeit schief geht, ich wär in der Anstalt. Es gibt Dick und Doof. Nu geh.«

»Es ist aber keine Kleinigkeit –«

»Alan! Du machst mich meschugge. Geh!«

Das Kino roch wie immer nach dem alten muffigen Teppichbelag. Die Seidenschichten des Vorhangs vor der Leinwand schillerten rosa, blau und grün. Bei der kleinsten Bewegung des Vorhangs schienen sich die Farben zu vermischen.

Normalerweise genoss Alan diese Wartezeit vor der Mittagsvorstellung. Die Lichter sind noch an und alles albert herum, bis es anfängt. Deswegen kam er auch gern etwas früher, schon zur Öffnung. Aber heute schien es fast gemein hier zu sitzen, während Naomi . . . ja was? Er stellte sich vor, wie sie störrisch in einer Ecke hockte und wieder Papier zerriss und vor Angst kaum atmete . . . Er durfte jetzt nicht an sie denken. Er musste sich davon freimachen. Er starrte auf den Schillervorhang um zu probieren, ob man sich selbst hypnotisieren konnte.

»Das ist ein Leben, Mann, Alan«, sagte Shaun und legte seine Füße auf die Lehne des Vordersitzes. »Meine Mutter hat dich nie zu etwas eingeladen. Und deine Mutter lädt mich ein? Wo sie mich doch ablehnt?«

»Hat sich wahrscheinlich den Kopf an der Bratpfanne aufgehauen oder so was. Mütter, Mann – da blickst du doch nicht durch. Oder?«

Weitere Jungen stießen zu ihnen, die sie von der Schule oder der Straße her kannten, und bald saßen sie zu elft in einer Reihe.

Einer fing an mit: »Licht aus, anfangen! Licht aus, anfangen!«, und die ganze Reihe rief es im Sprechchor mit und klatschte rhythmisch dazu.

Der Platzanweiser kam herunter und leuchtete mit seiner Taschenlampe Alan direkt ins Gesicht. »Wenn ihr nicht sofort aufhört – *raus*!«

»Buhu«, sagte Shaun, als Alan ihn anstieß um ihn zur Ruhe zu mahnen.

»Und nimm deine Latschen gefälligst von der Lehne, du Rotzlöffel.«

»Gewiss doch, lieber Herr«, sagte Shaun und nahm seine Füße herunter, »tut mir sehr Leid. Will's auch nicht wieder tun, lieber Herr. Bin jetzt auch ganz brav.« Der Platzanweiser starrte ihn eine Weile böse an und verschwand.

»Sie müssen die Taschenlampe schlucken, lieber Herr, eingeschaltet, was wären Sie dann für ein doller Lampion«, wisperte Shaun in die Reihe. Sie brüllten alle vor Lachen. Der Platzanweiser kam zögernd ein paar Schritte herunter, besann sich aber und trat den Rückzug an.

Einige Mädchen aus Alans Klasse kamen den Gang herab, erblickten Alan, Shaun und die andern und setzten sich in die Reihe direkt vor ihnen.

»Ach nein«, sagte Shaun, »die schmeißen wieder den ganzen Film.«

»Guckt mal«, rief einer der Jungen. »Die ganze Nähklasse ist da. Oink, oink, oink, oink.«

Ein paar der Mädchen lachten, aber keines drehte sich um.

Ein Junge nahm das lang herabhängende Haar des Mädchens vor ihm und hob es ganz langsam und vorsichtig hoch, damit sie nichts merkte. Die andern schauten interessiert zu.

Plötzlich schnellte das Mädchen herum. »Lass das, Robert Fehling, oder ich rufe den Platzanweiser!«

Jetzt drehten sich alle Mädchen um.

»Ich wollte nur mal sehen, ob da wirklich ein Kopf dranhängt, an all dem Haar, Gloria Carmella. Und wenn's dir nicht passt, zieh doch um.«

»Das ist ein freies Land. Ich kann sitzen, wo ich will«, sagte Gloria.

»Dann setz dich doch auf meinen Schoß«, schlug Robert vor.

Die Jungen lachten und ein paar Mädchen auch.

»Du bist das frechste und dümmste Stück in diesem – in diesem ganzen Kino«, sagte Gloria. »Aber gib dir keine Mühe. Du kannst mich gar nicht ärgern. Du bist Luft für mich.«

»Na schön. Dann setze ich mich halt auf deinen Schoß. Ich klettere einfach rüber.« Robert tat so, als wolle er über die Lehne steigen, und Gloria stieß einen kleinen Schrei aus. Lautes Gelächter, als Gloria errötete. Plötzlich musste sie mitlachen. Sie drehte sich wieder zu Robert um. »Du bist unmöglich. Ich hasse dich«, sagte sie und wandte sich wieder nach vorn.

Es sah hübsch aus, wie ihr Haar bei jeder Kopfbewegung herumwirbelte; Alan hätte es auch gern einmal berührt.

Er dachte wieder an Naomi. Er versuchte sich vorzustellen, dass sie da fröhlich bei den anderen Mädchen säße. Aber das war unmöglich. Sie hätte auch hier ihre Puppe gebraucht und nur mittels Yvette geredet. Das sähe vielleicht verrückt aus. Aber sie war ja verrückt.

Sein Vater hatte Recht. Genau wie der Doktor. Das wurde einem klar, wenn man die Mädchen da sah. Sie musste die Puppe aufgeben. Sie musste ein richtiges Mädchen werden, und zwar sie selbst. Naomi! Einen Augenblick stellte er sich vor, sie säße vor ihm und er nähme ihr Haar in die Hand . . . und sie drehte sich um und sagte ... Was würde sie sagen? Würde sie ärgerlich sein? Vielleicht würde sie lächeln. Sonst nichts. Genau das würde sie tun, lächeln. Ach, Naomi, dachte er, werde doch bitte bald gesund, bitte. Bald!

»Hör auf damit, Ralf!«, rief ein Mädchen. »Steckt seinen Fuß in den Klappsitz. Geh weg da.«

»Sag's seiner Mami!«, rief einer der Jungen.

Shaun stieß Alan an. »Komm, sie töten uns nur den Nerv. Ein paar Reihen weiter hinten. Sonst haben wir nichts mehr vom Film.«

Alan wollte eigentlich bleiben. Ein paar Jungen machten immer Bemerkungen über den Film, was die Szene dann albern oder durchgedreht erscheinen ließ. Und in ihrem Mund hörten sich die Worte der Schauspieler manchmal wie unanständige Witze an, und obwohl sie oft keinen Sinn ergaben, kicherten die Mädchen. Es war wirklich ein Heidenspaß. Warum musste Shaun so ein Miesepeter sein?

»Los, komm, Alan, wir gehen. Die Weiber machen uns wahnsinnig. Wir hören ja überhaupt nichts mehr von dem Film.«

Widerwillig ging Alan mit Shaun in eine andere Reihe. Das nächste Mal, nahm er sich vor, gehe ich allein zur Mittagsvorstellung.

Die Lichter verlöschten. Die Vorstellung fing mit ein paar Zeichentrickfilmen an. Alan lehnte sich zurück, stopfte sich den Mund voller Schokoladenplätzchen mit Kirschgeschmack und überließ sich den Bildern.

Dann kamen zwei kurze Klamauk-Vorfilme und dann die Wochenschau. Die Schlacht um die philippinische Insel Leyte im Chinesischen Meer. Landungsboote und Zerstörer im Schutz von Jagdbombern. Kämpfende Soldaten auf den Stränden. Dann der Krieg in Europa. V-Bomben auf London, ganze Häuserblocks in Flammen. Männer mit rußverschmierten Gesichtern, die mit gewaltigen Löschrohren gegen die Feuerwände angingen. Leichen in den Straßen. Ein zusammengekrümmtes Kind mit schauerlich verdrehtem Arm, tot.

Jetzt lachte niemand mehr.

Kurz gezeigt: Adolf Hitler, wie er sich auf einem Spaziergang mit Offizieren bespricht. Von allen Seiten kamen laute Buh-Rufe gegen den Verhassten.

Dann General Eisenhower mit amerikanischen Truppen, und das Kino erdröhnte vor Applaus und jubelnden Rufen. Auch Alan schrie mit, weil die anderen alle schrien, aber er schrie auch für seine Eltern, die Hitler so hassten, und er schrie für sich selbst, für Naomi, ihre Mutter, die Liebmans, für alle, die nicht da waren.

Und dann: Dick und Doof, der Hauptfilm. Alan rollte sich zusammen und ließ sich einfach treiben. Es tat so wohl, einmal nicht Alan Silverman sein zu müssen, eine Weile überhaupt niemand sein zu müssen.

16

Das Frühstück am Sonntag war die schönste Mahlzeit der Woche. Da brachte sein Vater frische Brötchen von der Bäckerei und die Sonntagszeitung, und während Alan auf dem Teppich liegend alle Comicserien von vorn bis hinten las, übernahm sein Vater die Vorbereitungen fürs Frühstück.

Heute machte er seine Spezialität: Rührei mit Zwiebelscheiben und Pilzen. Kein Mensch konnte Rührei so machen wie sein Vater, so locker, leicht und weich.

Alan hörte am Klang der Gabel in der Pfanne, dass das Rührei bald fertig war. Das helle Kratzgeräusch aus der Küche wurde allmählich dumpfer und voller. Hitler, der Krieg und die Gräuel der Wochenschauszenen waren in weiter Ferne. Viel näher und realer war der schon etwas zerschlissene Teppich mit dem Kurvenmuster, das früher einmal das Straßennetz für Alans Spielzeugautos gewesen war. Der Krieg war beinahe so unwirklich wie ein Märchen.

Beinahe. Nicht für Naomi. Sie war mittendrin gewesen. Die Nazis hatten ihr Land überfallen. Hatten sie zum Wahnsinn getrieben. Wenn sie doch nur so sein könnte wie die Mädchen gestern im Kino, dachte er. Wenn es ihr nur möglich wäre, den Krieg, die Nazis und all das zu vergessen. Sie könnte bei mir sein, in diesem Moment, und mit mir die Comics lesen. Sie könnte sogar mit uns frühstücken. Sie könnte fast zur Familie gehören.

Alan drehte sich zu seiner Mutter um. Sie las die Zeitung und trank ihren ersten Kaffee aus ihrer Lieblingstasse mit dem angeschlagenen Rand.

»Mami, könntet ihr, du und Vater, eigentlich Naomi adoptieren?«

»Du stellst Fragen!«

»Na und? Warum nicht?«

»Sie hat eine Mutter. Was muss sie haben? Zwei Mütter?«

»Jedenfalls hat sie keinen Vater. Und du wolltest doch immer eine –« Alan unterbrach sich und sprach das Wort »Tochter« nicht aus. Aber seine Mutter hatte ihn schon verstanden, ihre Augen wurden feucht. Unvermittelt rief sie zur Küche hin: »Sol, hast du die Eier schon in der Pfanne oder brütest du sie aus?«

Sein Vater antwortete: »Gleich, gleich. Nur nicht hetzen. Meisterwerke brauchen ihre Zeit.«

»Jedenfalls, Naomi könnte so eine Spitzenmutter wie dich und so einen Vater gut brauchen«, sagte Alan überfreundlich.

»Was ist so Spitze?«

»Ich weiß nicht. Du bist so ein toller Monopoly-Spieler.«

»Oi! Das schreibst du auf mein Grab.«

»Und als Köchin bist du gar nicht schlecht. Ich meine, zum Beispiel deine Erbsensuppe, so eine Mutter möchte jeder gern haben.«

»Sol«, rief sie zur Küche hinüber, »hör dir das an!«

»Und Vaters Rühreier. Da leckt sich doch jeder die Lippen.«

Seine Mutter lachte. »Alan, du bist oft eine Nervensäge, aber du bist auch manchmal der lustigste, bravste –«

»Mami!«

»Nein, nicht brav. Nicht brav. Verzeihung. Nicht brav.«

»Bitte zum Essen«, rief es aus der Küche.

»Mami«, sagte Alan noch schnell vor der Küche, »wenn es Naomi einmal besser geht, könnte sie dann nicht mal runterkommen und mit uns frühstücken und so?«

»Warum nicht? Sie kommt sogar heute schon nach dem Frühstück. Habe ich dir das nicht gesagt?«

»Nein.«

»Sie kommt. Wir haben eine halbe Stunde, bevor wir zu Tante Sarah gehen. Sie kommt nur ganz kurz. Wir dachten, es ist gut für sie – nicht in ihrem Zimmer. Ja?«

Alan ließ sich schwer in seinen Stuhl fallen. »Ihr macht solche Sachen immer ohne mich. Warum denn? Warum erfahre ich immer alles erst im letzten Moment?«

»Du hast geschlafen und wir haben es mit Liebmans in der Nacht besprochen«, sagte sein Vater und verteilte das Rührei auf die Teller.

»Ihr habt immer geheime Besprechungen.«

»Siehst du, ich arbeite schwer, wie ein Wurm, fünf Tage in der Woche. Nu lass mir mal eine geheime Besprechung. Ich bin dann jemand. Wie Roosevelt oder Churchill.«

»Das ist kein Witz.«

»Alan, du hast Recht«, sagte sein Vater, »wenn du Recht hast, hast du Recht. Nächstes Mal sprechen wir vorher mit dir. Nu, iss mein Meisterwerk, bevor es kalt wird und wie Kleister schmeckt.«

Das Frühstück war wirklich fürstlich. Sein Vater hatte eine Dose Erdbeermarmelade für die Brötchen aufgemacht und das war der absolute Höhepunkt. Alan vernaschte zum Schluss sogar noch die Krümel.

Kurz nach dem Frühstück schellte es.

»Alan, geh du«, sagte sein Vater, »sie erschrickt vielleicht bei uns. Also hör zu, sei vorsichtig, du weißt schon, sei natürlich. Wir sind in unserem Zimmer. Im Notfall rufst du. Ja?«

Das klang alles sehr ernst. Alan fühlte sich plötzlich so ausgeliefert. Was sagt man denn? Hallo Naomi? . . . Oder was?

Alan ging zur Tür und probte dabei noch schnell, wie er »Hallo« sagen würde. Er machte auf, aber da stand nur Mrs. Liebman.

»Guten Morgen, Alan«, sagte sie. Dann rief sie zur Treppe: »Naomi, komm nur. Dein Freund ist da. Komm . . .«

Langsam, zögernd kam Naomi die Stufen herab. Sie hielt ein Stück Papier in der Hand. Keine Yvette.

»Siehst du, alles ist gut, wir sind unter Freunden. Alan zeigt dir seine Wohnung und seine Spiele und alles, ja, Alan? Komm, Naomele, komm nur.« Mrs. Liebman führte Naomi über die Schwelle und wartete erst ab, ob sie sich nicht umdrehte um wieder wegzulaufen.

Alan trat beiseite. Naomi ging mit gesenktem Kopf vorbei, ins Wohnzimmer. Dann schaute sie langsam auf und starrte auf ihr Ebenbild in einem großen Wandspiegel. Alan wusste nicht, was er sagen sollte.

Er trat also neben Naomi und sah auch in den Spiegel. Dann hob er die Hand und winkte.

»Hallo«, sagte er, aber seine Stimme klang ganz hohl.

Naomi starrte immer noch in den Spiegel. Ihre Furcht schuf in ihrem Umkreis eine kalte, unfreundliche Atmosphäre, wie sie im Wartezimmer eines Arztes spürbar ist.

»Wer ist das?«, fragte Alan und deutete auf sein Spiegelbild. Ein langes Schweigen folgte. Er beantwortete seine eigene Frage: »Das bin ich, Alan Silverman. Auch bekannt als A. A. Boomladle.«

»Charlie?«, fragte Naomi leise.

»Charlie ist im Krankenhaus, da wird er behandelt.«

Naomi setzte sich unvermittelt auf den Teppich und fing an das Papier in ihrer Hand in Fetzchen zu reißen.

»He, Naomi. *Comment allez-vous?* Wie geht's denn so?«

Naomi setzte sich um, so dass sie Alan nicht mehr vor sich hatte. Das ganze Papier war jetzt entzweigerissen und nun hob sie die Schnitzel auf, um sie in noch kleinere Stückchen zu zerreißen. Alan hasste diese Fetzchen. Er musste Naomis Aufmerksamkeit unbedingt auf sich lenken.

»*Comment allez-vous,* Naomi? . . . Ich zähle jetzt bis zehn. Wenn du bei zehn noch keine Antwort gegeben hast, dann werde ich . . . eh . . . weinen! Jawohl, einfach weinen . . . *Un, deux . . . trois . . . quatre . . .*«

Da hatte er eine Idee: Er würde so tun, als wüsste er nicht weiter. Vielleicht . . .

»Also ... wart mal ... *Un, deux, trois, quatre* ... eh –«

»*Cinq*«, brach es aus Naomi heraus.

Prima. Bis jetzt lag er richtig. Nur vorsichtig. Ganz vorsichtig. Weiter.

»*Cinq, six* ... eh ... *six*, wart mal ... *cinq, six* ... Mannomann ... *six* ...«

»Dummkopf! *Sept!*«

Das ging ja großartig. Es war ihre Stimme, Naomi Kirschenbaums Stimme. Keine piepsige Puppenstimme mehr, sondern ihre eigene.

»*Sept?* Geht ja gar nicht«, sagte Alan. »*Sept* ist eine Garnitur für'n Tisch. Ein Service ist ein Set. Das ist doch keine Zahl. Da liegst du schief.«

»*Fou!*«

»*Fou?* Siehst du. *Un, deux, trois, quatre, cinq, six, fou, huit, neuf, dix*. Und jetzt muss ich leider weinen.«

Was er gesagt hatte, lautete übersetzt: Eins, zwei, drei, vier, fünf, sechs, Narr, acht, neun, zehn. War da nicht der Anflug eines Lächelns auf ihrem Gesicht?

»*Comment allez-vous?* Du musst jetzt antworten, sonst weine ich wirklich. Und Jungen weinen nicht«, sagte Alan, »nein, nie und nimmer.«

Naomi zuckte die Achseln. Sie blickte aufmerksam auf die Fetzchen Papier in ihrer Hand, die sie darauf, abermals achselzuckend, zu Boden fallen ließ. Sie schaute Alan einen Augenblick an und sagte dann mit ihrer eigenen Stimme: »*Ah oui*. Und Mädchen niesen nie, das ist noch schlimmer.«

Alan blickte ihr direkt in die Augen und sah die Lust am Schabernack aufblitzen, die Klugheit und Fantasie, die Yvettes Wesen ausgemacht hatten.

Naomi wandte sich ab und schaute sich im Zimmer um. Dann stand sie auf und betrachtete sich erneut im Spiegel. Alan stand neben ihr.

»Hallo, Naomi«, sagte er und sah ihr Spiegelbild an.

Sie schaute auf sein Bild im Spiegel und schwieg. Dann bewegten sich ihre Lippen, als ob sie spräche, aber Alan konnte nichts hören.

»Wie gefällt dir die Wohnung?«, fragte er sie im Spiegel.

Naomi drehte sich um und durchwanderte langsam das Wohnzimmer; im Vorübergehen strich sie über die Tischfläche, das Sofa und die Lampe. Vor einer Reihe gerahmter Fotos blieb sie stehen. Auf dreien oder vieren war er selbst zu sehen, andere zeigten die Großeltern, Vater und Mutter und seine Vettern. Sie tastete über jedes Bild, hob dann eines von Alan auf und betrachtete es.

»Das bin ich, vor zwei Jahren«, sagte er.

»Hübsche Wohnung«, beantwortete sie seine erste Frage. Sie stellte das Bild wieder zurück und ging nochmals durch das ganze Zimmer. Wieder schaute sie auf die Fotos.

Seine Mutter tauchte am andern Ende des Zimmers auf.

»Wir müssen jetzt zu Tante Sarah. Willst du vielleicht Naomi nach oben begleiten, Alan?« Während Naomi sich die Fotos ansah, hob sie die Hand und machte, wie Churchill, das V-Zeichen für Sieg.

Und es war auch ein Sieg, das stand außer Frage. Aber was hatte er eigentlich groß gemacht? Nichts. Überhaupt nichts. Trotzdem winkte er seiner Mutter mit dem V-Zeichen zurück um sie bei Laune zu halten. Wenn sie unbedingt einen Helden in ihm sehen wollte – bloß nicht davon abhalten. »Held« war immer noch besser als »brav«.

17

Tante Sarah und Onkel Phil wohnten in einer großen, alten Wohnung in Manhattan, ein paar Straßenzüge westlich vom Central Park. Im Wohnzimmer roch es muffig, da fehlte es an Luft und Sonne und an Bewohnern, die laut und fröhlich sind. Alans Vettern waren beide in der Marine und kämpften irgendwo im Pazifik. Weil ihre Söhne im Krieg waren, hatten Onkel und Tante ihre Wohnung zugemacht wie ein Buch.

Alan dachte an die Schlacht von Leyte, die er in der Wochenschau gesehen hatte. Ob seine Vettern wohl dabei gewesen waren? Aber das konnte niemand wissen. Beim Essen drehte sich das Gespräch nur um den Krieg im Pazifik. Immer wieder kamen Onkel und Tante voller Sorge auf ihre Söhne zu sprechen.

»Was kann man machen«, sagte sein Onkel. »Ich danke Gott jeden Tag, dass kein Telegramm kommt. Das ist alles.«

Denn ein Telegramm konnte die Nachricht enthalten, dass einer seiner Vettern verwundet oder sogar gefallen war. Die Gespräche bedrückten Alan. Nach dem Essen fragte er, ob er im Park spazieren gehen dürfe.

»Geh schon, Alan«, sagte sein Vater. »Genug geredet vom Krieg. Viel Vergnügen. Sei gegen fünf zurück.«

»Und pass gut auf«, mahnte die Mutter.

»Mami! Ich kenn mich hier aus. Wir waren schon tausendmal im Park.«

»Aber nicht allein«, sagte seine Mutter. »Also schweig still.«

»Ist ja gut«, sagte Alan und ging zur Tür.

»Alan«, meinte Tante Sarah, »eine Mutter sorgt sich immer. Die Söhne sind im Krieg – sie sorgt sich, oder sie laufen im Central Park – sie sorgt sich. Dafür sind Mütter da, ja?«

»Und Väter«, fügte sein Onkel hinzu.

»Ist ja gut. Ist ja gut«, sagte Alan.

Im Park angekommen entschied er sich für den Weg zum großen See, zum »Bootchen-See«, wie er ihn nannte. Sein Vater hatte ihn oft zum Rudern dorthin mitgenommen. Er verlangsamte sein Tempo bei den vielen kleinen Brücken über den verschlungenen Pfaden, die sich hier im Norden des Sees übereinander und untereinander kreuzten. Es war einer seiner Lieblingsplätze und wie immer stellte er sich auch diesmal vor, dass Indianer hinter einer hohen Felsengruppe lauerten ... Aber seit 300 Jahren gab es hier keine Indianer mehr und er war zu alt für diese Art von Fantastereien. Hör auf mit dem Quatsch, sagte er sich.

Alan spazierte am Ufer entlang, am Bootshaus

und am Bethesda-Brunnen vorbei zur Promenade mit ihren ausgedehnten Rasenflächen und der Doppelreihe von Bänken und Statuen. Wie oft hatte er die ganze Promenade auf den Bänken durchlaufen, immer im Sprung von einer Bank zur andern, mit gelegentlichen kleinen Umleitungen über den Fußweg, wenn Leute da saßen.

Jetzt war der Park fast menschenleer, die Bänke vor ihm bildeten eine durchgehende gerade Bahn. Die Verlockung war groß.

Mit Shaun zusammen hätte er es wahrscheinlich gemacht. Oder auch mit Naomi. Aber allein, dazu fühlte er sich zu alt. Komisch, er fühlte sich älter, wenn er allein war.

Die wenigen, die dann doch da saßen, sahen sehr einsam aus. Vielleicht waren die Menschen, die immer Gesellschaft haben konnten, gerade beim Essen. Und die anderen aßen einfach nie.

Alan setzte sich auf eine Bank. Ohne Bewegung und ohne Ziel fühlte er sich so verlassen wie die andern offenbar auch. Jetzt war er einer von ihnen. Auch so eine graue Gestalt auf einer Bank, allein in dieser großen Promenade voller Statuen.

Sie schien immer so einsam, Naomi. Im Flur. Auf ihrem Bett. Sogar in seinem Zimmer. Überall. Sie war immer einsam. Vielleicht fühlte sie es auch genauso wie er jetzt. Absolute Einsamkeit. Vielleicht war er für sie nur eine Statue, die sprach. Eine Steinfigur, die sie ein wenig aus dem Alleinsein herausgehoben hatte. Eine freundliche Figur. So etwas Ähnliches, vielleicht.

Er malte sich aus, sie säße neben ihm und er forderte sie zum Wettlauf über die Bänke auf. *Ukay*. Und wie er dann aufsprang und über die Bänke lief, die ganze Länge der Promenade, immer im richtigen Tempo um sie nicht zu schlagen. Unentschieden sollte es sein. Gutes Rennen, Naomi, bist prima gelaufen.

Komisch. Ob sich Naomi wohl je so was mit ihm ausdachte? Wahrscheinlich nicht . . . Wäre allerdings schön, wenn sie . . . Ob er es je erfahren würde? Wohl kaum . . . Irgendwie fühlte er sich jetzt weniger einsam. Verrückt ist das.

18

Am Montagabend kam Naomi wieder mit Mrs. Liebman herunter.

»He, Naomi«, begrüßte sie Alan an der Tür.

Naomi zuckte mit den Schultern und ging dann an Alan vorbei ins Wohnzimmer. Sie ging im Zimmer umher wie am Tag zuvor und berührte alle Gegenstände, als ob sie Glücksbringer wären.

»He, wie geht's denn, Naomi?«, fragte Alan.

»Charlie, bist du da?«

»Nein, Charlie ist nicht da. Aber ich bin da. Du kennst mich ja. Alan. Kennst mich doch.«

Naomi wanderte langsam durchs Zimmer und sagte: »Die Wohnung gefällt mir.«

»Ist ganz hübsch. Ich meine, nichts Großartiges,

aber es geht. Wir sind nicht reich, weißt du. Aber es geht . . . Meine Mutter putzt die ganze Zeit. Da sieht die Wohnung besser aus, als sie ist, verstehst du? . . . Sag mal, soll ich dir mein Zimmer zeigen?«

»Ja . . . vielleicht.«

Gut, dachte Alan. Prima.

»Komm mit. Ich zeig dir das ganze Zeug, das ich habe. Letztes Zimmer hinten im Flur.«

Naomi setzte sich steif auf sein Bett und er zeigte ihr seine Flugzeuge, die Spiele und all die kaputten Spielsachen im Schrank. Sie sagte zwar immer wieder »sehr nett«, wirkte aber verschreckt und wie verloren. Was mache ich falsch, fragte er sich. Vielleicht will sie sich die Sachen allein ansehen so wie gestern im Wohnzimmer.

»Du, pass mal auf. Ich bin gleich wieder zurück. Spiel, womit du willst. Fühl dich wie zu Hause. Bin gleich wieder da.« Alan ging aus dem Zimmer und beobachtete sie vom Gang aus.

Naomi blieb zunächst sitzen und strich über den Bettbezug. Dann stand sie auf, ging durchs Zimmer und berührte sacht die Gegenstände darin. Unter der Spitfire, die an einer Kordel von der Decke hing, blieb sie stehen. Sie stieß das Flugzeug sanft an; es schwang hin und her und mit eingezogenem Kopf stand sie genau darunter um dem Schwingen zuzusehen.

Gut! War wieder richtig, dachte Alan. Das Flugzeug gefällt ihr wirklich. Sie spielt sogar etwas damit. Ich hab's ganz richtig gemacht und ich bin von allein darauf gekommen.

Zu Alans Überraschung sagte sie laut »Spitfire«.

Sie wusste, was es war. Und sie hatte keine Angst davor, obwohl es ein Kampfflugzeug, ein Jäger, war. Angst hatte sie offenbar nur vor bestimmten Sachen. Naomi stieß das Flugzeug noch einmal an.

Alan kam zurück. »Gefällt dir das Flugzeug?«

»Sehr nett.«

»Du kannst es haben.«

»*Oh non.* Das ist zu viel. Nein, es geht nicht. Da-Danke . . .«

»Im Ernst. Du kannst es haben.«

Sie stotterte und schien ganz verkrampft. Sie biss auf ihren Fingernägeln herum. Dann sagte sie: »Vielen Dank . . . Char- . . . Ch- . . . Da- . . . Danke, A- . . . Alan.«

Sein Name! Das hatte es nie gegeben. Fast hätte sie wieder »Charlie« gesagt. Warum fiel es ihr so schwer seinen Namen auszusprechen? Unwichtig. Jedenfalls hatte sie »Alan« gesagt. Mensch, war das gut. War das gut!

»Aber bitte, Naomi. Wenn du die Spitfire willst, gehört sie dir. O. K.?«

»Ukay.«

Naomi saß wieder steif auf dem Bett und schob ein paar Damesteine auf einem alten Damebrett aus Alans Schrank hin und her.

»Spielen wir Dame, Naomi?«

»Ukay.«

Alan stellte das Brett auf und überließ ihr die weißen Steine. »Du fängst an.«

Sie spielte schweigend. Alan stellte fest, dass sie sich jeden Zug genau überlegte. Und sie machte gute Züge. Das Spiel endete unentschieden.

Mrs. Liebman kam um Naomi abzuholen. Vor der Wohnungstür drehte sich Naomi um und winkte Alan zu, indem sie ihre Hand öffnete und wieder schloss, also genau mit der gleichen Handbewegung, mit der ihr Alan gestern vor dem Spiegel gewinkt hatte. Dann lächelte sie. Es war das Lächeln, das er sich im Kino vorgestellt hatte. Ganz genau das gleiche Lächeln.

Der Gedanke stieg in ihm hoch wie eine Welle, die auf den Schwimmer am Strand zurollt. Ich habe Naomi Kirschenbaum gern. Ich habe sie gern ... Ich habe sie gern ... Wahnsinnig gern.

19

An den folgenden Tagen sagte Naomi bei ihren Besuchen so gut wie nichts. Wie in einem immer wiederkehrenden Ritual berührte sie die Dinge im Zimmer. Aber es fiel auf, dass es immer weniger Dinge waren, über die sie strich. Am Dienstag waren es noch zwölf gewesen, acht am Mittwoch, aber nur drei am Donnerstag: der Tisch, die Lampe und die Spitfire.

Naomi schien einverstanden mit allem, was Alan vorschlug. Am Dienstag zeigte ihr Alan, wie man Monopoly spielt. Naomi sprach nur so viel wie nötig und kein Wort mehr. Immerhin nannte sie ihn jetzt Alan, mit einer so eigenwilligen Betonung allerdings, dass es klang, als klingelte ein Glöckchen. Alan hörte das gern, sein Name hatte auf einmal etwas Besonderes bekommen.

»Ich bin auf das Gefängnis, Alan«, sagte sie etwa. Oder: »Alan, ich baue ein Haus in die Schloss-Straße.«

Aber im Allgemeinen war sie schweigsam, sogar etwas steif, bis sie sich schließlich mitten in einem Damespiel völlig vergaß. Alan hatte in einem Zug drei ihrer Steine übersprungen. Naomi klatschte bewundernd in die Hände.

»He, was ist?«, fragte Alan. »Willst du nicht gewinnen?«

»*Ah oui. Ah oui.* Aber war so schön. Bum, bum, bum. So schön.«

»Sehr sportlich, Naomi.«

»Sportlich? Dame ist sehr sportlich, ja?« Sie stellte wieder Fragen, wie sie seinerzeit Yvette fragen ließ.

»Nein, du. Jemand, der auch mal verlieren kann, ist sportlich. Wie du. Du bist sportlich.«

»Sport ist nicht sportlich? Menschen sind sportlich?«

»Genau. Sport – das ist eine Sache. Wie Baseball, Tennis, Schwimmen usw. Aber sportlich, das ist jemand, der die Spielregeln beachtet. Oder einer, der sehr gut ist beim Sport. Auch ein guter Verlierer ist sportlich. Und Dame ist auch kein Sport. Das ist ein Spiel. O. K.?«

»Ukay«, sagte Naomi. »Ich will das behalten. Aber ist verrückt, diese Sprache, Alan, *oui?*«

Am nächsten Morgen sagte Mrs. Landley im Klassenzimmer, Alan solle nach der Schule zu ihr kommen. Was ist jetzt los? Alan grübelte. Was habe ich gemacht? Der Schmetterlingsüberfall? War sie nach so vielen Wochen immer noch sauer? Alan drehte sich um und blickte zu Shaun auf der anderen Seite. Shaun zog die Schultern übertrieben hoch um anzudeuten, dass er keine Ahnung habe.

Nach der Schule ging Alan zu Mrs. Landley und Shaun begleitete ihn.

»Geh nach Hause, Shaun. Ich komm schon allein zurecht.«

»Quatsch. Du hast doch die Hosen voll, Bubi. Du brauchst Hilfe. Dir wackeln doch schon die Knie.«

»Ich hab nicht die Hosen voll. Und nenn mich nicht Bubi.«

»O. K. Bubi. Die Schau will ich jedenfalls sehen. Freier Eintritt für jedermann.«

»Und was ist, wenn ich nicht will, dass du zuguckst?«

»Aha«, sagte Shaun, »Silverman, der Heimliche. Bei dir muss immer alles Geheimnis sein.«

»Wieso? Ich hab keine Geheimnisse.«

»Und was du da immer erledigen musst und kein Mensch darf's wissen? . . . Überhaupt, wann erzählst du mir das mal? Schließlich bin ich dein Freund, oder?«

»Ich . . . ich kann's einfach nicht«, sagte Alan. Hätte er es denn riskieren können? Er hatte sich das oft genug gefragt und einmal, auf dem Flugfeld, hätte er es ja auch beinahe gemacht.

»Gut«, sagte Shaun, »aber ich, wenn ich irgendein Geheimnis hätte, ich würde es dir sagen. Und das weißt du genau.«

»Na ja ... also wenn du willst, kannst du zu Mrs. Landley mitkommen«, sagte Alan. »Willst du?«

»Oh, zu gütig ... danke vielmals. Ich hoffe nur, sie nimmt ihr Lineal und haut dir den Hintern voll.«

»Du spinnst ja.«

»Heiho, Silverman!«

»Ach, hör jetzt auf.«

»Geh weg!«

Mrs. Landley saß an ihrem Pult und benotete Schularbeiten. Alan und Shaun blieben nach ein paar Schritten ins Klassenzimmer stehen. Der leere Raum hatte etwas Abschreckendes. Nach drei Uhr war es nicht mehr das Revier der Schüler, sondern nur noch Mrs. Landleys Reich.

»Hallo, da seid ihr ja. Du liebe Güte, wie die Zeit verfliegt«, sagte Mrs. Landley und schob die Papiere zur Seite. »Du hast eine gute Arbeit geschrieben, Shaun. 95 Punkte, sehr schön. Aber du solltest mal lernen, wie man ›Okzident‹ schreibt. Und Alan, versuche doch mal in Aufsätzen ohne das Wort ›irgendwie‹ auszukommen. ›Irgendwie war er ...‹ – wie war das noch?«

Sie blätterte in den Papieren. »Ja, hier habe ich es. ›Irgendwie war er kleiner als die anderen Spieler seiner Mannschaft.‹ Sage doch lieber ›eher kleiner‹ oder ›ziemlich klein‹ oder einfach nur ›kleiner‹. Ich habe dir 96 Punkte gegeben, das ist sehr gut, aber deine Handschrift ist eine Schande. Ja ... weswegen habe ich dich eigentlich hergebeten?«

»Sie wollten Ihr Lineal auf seinem Schädel kurz und klein schlagen«, bemerkte Shaun.

»Bitte, Shaun Kelly. Um diese Zeit bin ich am

Ende meiner Kraft. Hoffentlich wirst du nie Lehrer. Alles andere, bloß kein Lehrer. Lass nur die Finger davon. Also, wie war das . . . Ach ja, jetzt weiß ich es wieder . . . Shaun, tut mir Leid, aber ich möchte Alan allein sprechen. Ganz allein.«

Das klang verdammt ernst. Worum ging's wohl? Alan fühlte, wie ihm der Schweiß ausbrach.

»Bitte, bitte. Tschüs, Silverman. Ich komm zu deinem Begräbnis«, sagte Shaun und ging zur Tür.

Als er weg war, nahm Mrs. Landley ein paar Lesebücher aus dem Wandschrank und stapelte sie auf ihr Pult. Alan sah auf einen Blick, dass es etwa so viele Bücher waren, wie er selber schon hatte.

»Alan, die Bücher sind für eine Freundin von dir . . . Naomi – wie heißt sie weiter?«

Alan stieß einen großen Seufzer der Erleichterung aus. »Kirschenbaum«, sagte er.

»Richtig. Das arme Mädchen. Eine schreckliche Geschichte. Ich habe gehört, wie sehr du ihr geholfen hast. Darauf kannst du wirklich stolz sein. Also ich kenne dich ja nun etwas und vielleicht bist du gar nicht stolz. Du hast schon so viel Einsicht für dein Alter, vielleicht befriedigt dich einfach der Gedanke, dass du das Glück hast, anderen helfen zu können. Verstehst du?«

Glück? Er wendete das Wort in Gedanken hin und her. Sein Vater hatte es auch schon gesagt. Hatte er Glück? Und konnte er wirklich anderen helfen? Und wenn das tatsächlich so war, warum versteckte er dann Naomi vor Shaun und den anderen? Warum war er dann froh, dass Shaun weg war und nichts von alledem mitbekam?

»Alan, hörst du zu?«

»Hm.«

»Du willst nicht gern gelobt werden, wie?«

»Hm.«

»Sicher willst du es nicht und ich verstehe dich. Erwachsene können einem so auf die Nerven gehen mit ihrer Herablassung. Sie denken, Kinder sind Kinder. Aber das stimmt nicht, das ist das ganze Geheimnis. Manchmal vergesse ich es selbst ... Also Alan, das sind ihre Bücher. Wir hoffen sehr, dass sie bald bei uns ist. Sie ist so klug. Sie gehört in die Begabtenklasse, trotz aller Schwierigkeiten mit Grammatik und amerikanischer Geschichte. Andere aus Europa haben es auch geschafft. Rudolph Steinmal zum Beispiel, jetzt ist er in der 8 A-R. Und sie wird es auch schaffen. Wir hoffen jedenfalls, dass du ihr hilfst. Und ich weiß, du wirst es tun.«

»Aber was soll ich denn machen? Ich weiß doch nicht, was sie lesen muss.«

»Wir haben Mrs. ..., wie heißt sie noch?«

»Mrs. Liebman?«

»Richtig. Mrs. Liebman haben wir ein paar Lehrpläne gegeben und sie bekommt noch die wöchentlichen Unterrichtsthemen. Diese Bücher braucht sie jetzt. Du bist stark, Alan, dir macht es nichts aus, zwei Stöße Bücher nach Hause zu tragen ... Du brauchst nur dafür zu sorgen, dass sie über die schwierigsten Stellen hinwegkommt. Vermittle ihr etwas von der Atmosphäre unserer Klassendiskussionen. Einschließlich Schmetterlingen, wenn nötig. Es gibt übrigens sicher bestimmte Lehrer, Alan, die dich dafür von der Schule ausgeschlossen hätten ...«

Es hatte sie also doch gekränkt. Das hätte er nicht vermutet, sogar damals nicht.

»Und Sie . . . nicht?«, fragte Alan und musste schlucken.

»Ich gehöre nicht zu den bestimmten Lehrern. Und außerdem finde ich dich großartig.«

»Ja gut«, sagte Alan, »aber irgendwie finde ich Sie auch großartig.«

»Ah, die Bewunderung ist gegenseitig? Das ist kennzeichnend für das wahre Genie. Noch viel Vergnügen, Alan. Aber bitte sage nicht mehr ›irgendwie‹, das ist einfach irgendwie eine schlampige Ausdrucksweise. Bis morgen dann.«

Alan kämpfte auf dem Heimweg mit den zwei Bücherpacken, aber seine Gedanken tanzten auf der Höhe der Baumkronen. Was da für Sätze gefallen waren! »Du bist großartig«, »Sie sind auch großartig«, »So viel Einsicht für dein Alter«. Aber das Schönste war: »Du bist stark.«

Bin ich's wirklich, fragte er sich. Na ja, wenn ich's noch nicht bin – jetzt will ich stark werden. Irgendwie.

20

Alan sah Naomi prüfend an, ihre Augen, ihren Mund, ihr Haar. Irgendwo, irgendwo hatte er sie schon einmal gesehen . . . Sie hockte auf ihrem Bett, in eine Mathe-Aufgabe versunken, und vor lauter Konzentration zog sie die Nase kraus.

Bücher und Blätter bedeckten das Bett und glitten teilweise zu Boden. Der Anblick erinnerte ihn an sein eigenes Zimmer, wenn er beim Lernen war. Und an den Ausruf seiner Mutter: »Schweinestall. Dein Zimmer ist ein Schweinestall. Ich kann es nicht sehen.«

Aber mit all diesem Durcheinander von Büchern, Heften und Notizen war Naomi gut vorangekommen. In nur zwei Wochen hatte sie die Klasse in Mathe und Geschichte fast eingeholt. Es verblüffte Alan täglich von neuem. Wie machte sie das nur? Las sie die halbe Nacht? Schlief sie mit den Büchern unterm Kissen? Vielleicht war sie insgeheim schon erwachsen. Ein genialer Zwerg.

»Ukay«, sagte sie, wenn Alan ihr etwas erklärt hatte. Und selbst, wenn er es schlecht erklärte oder wenn sie gar nicht hinzuhören schien, behielt sie alles.

»Ah, sehr schwere Aufgabe, Nummer 33«, sagte Naomi und schaute auf. »Dieser blöde Fluss fließt drei Meilen die Stunde und dieses blöde Boot fährt zehn Meilen die erste Stunde und dann fünf Meilen die zweite Stunde gegen Strom . . . Hast du schon gerechnet?«

Alan blätterte in seinen Hausaufgaben. »Hier ist es. Was hast du?«

»Viereinhalb Stunden.«

»Das ist richtig. In der ganzen Klasse haben nur drei richtig gerechnet.«

»Sind jetzt vier«, sagte sie und wandte sich der nächsten Aufgabe zu. Es war ihr gleichgültig, es interessierte sie nicht, dass 28 Schüler – einschließlich Alan – falsch gerechnet hatten. Das war fast beleidigend.

»Ich hatte es auch falsch«, sagte er.

»Oh. Ukay, ich zeige dir.«

»Jetzt weiß ich es selbst, Naomi Baby.«

»Ukay, Alan Baby.«

Eine Weile arbeiteten sie schweigend. Dann begann eine Luftschutzübung. Die Sirenen heulten auf wie verwundete Riesen in der Schlacht. Naomi stieß einen kleinen Schrei aus, kroch unters Bett und rief: *»Maman! Maman!«*

»Nur eine Übung!«, rief Alan. »He, komm doch raus, Naomi!« Fing das jetzt schon wieder an? Und vor einer Minute war noch alles in Ordnung gewesen. Was macht man jetzt? Mach einen Jux draus. Irgendwie.

Überall gingen die Lichter aus. In ganz New York erloschen die Scheinwerfer, Schaufensterbeleuchtungen und Straßenlaternen wie Sternschnuppen.

»Naomi, ich muss das Licht ausmachen. Sonst könnten die Luftschutzwarte die Liebmans festnehmen. Ist nur für kurze Zeit. Einverstanden?« Alan schaltete das Licht aus.

Mr. und Mrs. Liebman kamen mit Naomis Mutter herein. »Wo ist sie?«, fragte Mrs. Liebman.

»Unterm Bett.«

»Naomele, das ist nichts«, sagte Mrs. Liebman. »Eine Übung für Verdunkelung. Brauchst keine Angst zu haben.«

Dann sprach ihre Mutter sanft mit ihr auf Französisch. Aber Naomi sagte: »*Non. Non.* Ich will nicht.«

»Also gut«, sagte Alan. »Meine Damen und Herren, ich erzähle Ihnen, was geschieht, weil Sie nicht sehen können. Hier sind die Nachrichten. Es ist wahr: alle Glühlampen New Yorks sind aufgefressen worden. Jawohl! Das Birnen-Ungeheuer hat wieder zugeschlagen. Würden Sie bitte für unsere Hörer ein paar Worte hier ins Mikrofon sagen, Mr. Ungeheuer?« Alan veränderte seine Stimme und sprach mit Bass-Stimme weiter. »Ah jaa. Ich fresse Glühbirnen für mein Leben gern, yam-yam-yam. Ah, ich fresse diese knackigen, knusprigen Hundert-Watt-Glaskartoffeln mit Ketchup –«

Da war ein glucksender Kicherlaut unter dem Bett.

»Jawoll. Und jetzt ein paar Scheinwerfer mit Salz und Pfeffer und am liebsten mit Essig, die mit Essig, die fress ich.«

Wieder ein kleines Kichern. Mr. Liebman sagte leise zu den andern: »Kommt. Lasst ihn machen. Er ist besser als wir.«

»Und ich fresse Laternen, die sind wie Lollipops am Stiel. Lollipops mit Zitronengeschmack, die hab ich am liebsten. Und rote Ampeln mit Kirschgeschmack. Und grüne Ampeln mit Pistaziengeschmack.«

Die Sirenen gaben das Entwarnungssignal, nacheinander gingen die Lichter wieder an.

»Uch, zu viel gefressen. Uuch, mein Magen! Mein armer Maagen! Ich bin krank, ich muss spucken. Hilfe! Aach, die Scheinwerfer kommen hoch. Oooch! Uuuuch! Ich spucke. Ich spucke-he-he. Jaaitschsch! Aaatschiplum. All die schönen Lollipops . . . u-u-u-uh . . .«

Alan drehte das Licht an. Unter dem Bett rief Naomi: »Alan!«

»Ja?«

»Du bist ein Spinner. Ist richtig, ›Spinner‹? Einmal du hast erklärt, was ist Spinner.«

»Bin ich. Jawoll. Stimmt.«

Nun schau sie dir an, dachte Alan. Sie ist wieder ganz da. Die anderen haben sich nicht zu helfen gewusst. Aber ich.

»Hör mal, Naomi. Komm da raus. Unter dem Bett kann man nicht viel lernen.«

»Ukay.« Sie kroch hervor, stand auf und wischte sich den Staub vom Kleid. »Ich hatte Angst. Ich bin . . . Feigling.«

»Nein.«

»Oui.«

»Ein bisschen vielleicht. Etwas feige ist jeder.«

»Oh, viel. Ich viel.«

»Mach dir nichts draus. Bei mir bist du sicher, das weißt du.«

»*Ah oui.* Du bist klug und mutig. Und nett. Und lustig. Das ist sehr viele Sachen für ein Mensch. Du bist . . . wie heißt es? Du bist super.«

»Ach, Unsinn.«

»Doch. Doch. Doch. Super.«

»Mach jetzt einen Punkt!«

»Punkt? Was für ein Punkt?«

»Das heißt: Stopp. Hör auf!«

»Ah. Verrückte Sprache. Wie die Engländer auch. Ich lese das in das Buch.« Sie deutete auf das offene Geschichtsbuch auf dem Stuhl.

»Wieso sind sie verrückt?«

»In Kapitel von Massa-schu . . . ich kann das nicht sagen –«

»Massachusetts?«

»*Oui.* In Massa-schusetts Kolonie gibt es verrückte Puritaner von England, ja? Sie kommen nach Amerika für die Freiheit. Und dann, sie machen so: Jeder muss Puritaner wie sie sein. Das gefällt mir nicht. Sie würden mir hinausschmeißen.«

»Vielleicht auch nicht.«

»*Oh oui,* ja, sie würden. Ich bin *bien étrange* . . . wie sagst du? Ich bin nicht wie sie. Sie würden mir nicht wollen, gar nicht.«

Sie hatte Recht. Und wie Recht sie hatte. Ihn selbst hätten sie genauso rausgeworfen. Auch er hatte seinen eigenen Kopf. Wie sie. Sie hätten allein die Wälder durchstreifen und sich von wilden Beeren ernähren müssen. Allein, aber zusammen. Nur sie beide. Zwei arme Spinner.

»Du, Naomi, da ist was dran. So doll waren die nicht, die Puritaner, bloß weil sie im Geschichtsbuch stehen. Oder?«

»Oui. Sie sind *intolérant.*«

Wieso war er nicht darauf gekommen? Es war so einleuchtend. Diese Naomi. Er und super? Was ist sie dann erst? Sie durchschaute das ganze Geschwafel, all die großen Worte, genau wie sein Vater, und machte das ohne lange Reden klar. Mannomann.

21

Der Oktober ging seinem Ende zu. Bald würde es auch mit dem Schlagballspielen vorbei sein, dann würde nur noch Fußball gespielt. Alan hasste dieses Spiel.

Es war Samstag. Ein paar Jungen hatten sich schon abgesetzt und übten eine Straße weiter den Ballabstoß; ihr Ball landete oft im Schlagball-Außenfeld.

»He! Passt auf euern verdammten Ball auf! Das ist unser Spielfeld, McDonnell!«, brüllte Joe Condello.

»Ach, spring doch vom Dach, Condello!«, schrie McDonnell zurück.

Condello stürzte vor, aber McDonnell hatte schon den Rückzug angetreten.

»Kommt der Ball noch einmal auf unser Gebiet, schmeiß ich ihn unter die Straßenbahn. Verlasst euch drauf.«

Joe spuckte ein Ding hinter McDonnell her, so groß wie ein Priem Kautabak. Dann ging er zum Wurfmal zurück. Alan, der als nächster Schlagmann drankam, ging nervös auf und ab. Er wünschte sich inbrünstig einen Treffer, wenigstens einer für einen

Lauf über zwei Male, um die Schlagball-Saison mit Anstand zu beenden. Denn nächstes Wochenende, wenn er wieder spielen könnte, wäre es wahrscheinlich schon zu kalt. Und dann würde nur noch Fußball gespielt.

Joe Condello, immer noch wütend, warf einen scharfen Ball auf den Schläger am Mal. Shaun Kelly rief hinüber: »Condello, jetzt gib's ihm mal richtig.« Dem Schlagmann schrie er zu: »He, Ralph, Baby! Hau ihn übern Zaun. Ziellauf, Ralph! Baby!«

Der Schläger ließ ein paar von Condellos wilden Würfen vorbeigehen und schwang dann mit aller Kraft. Er traf mit der Kante, der Ball stieg hoch und war für Condello leicht zu fangen.

»Einer weniger!«, schrie Condello. »Und der Große Silverman ist dran, unser kleiner Bomber.«

Alan nahm seinen Stand auf dem Mal ein und rieb und drückte seine Schuhe auf die Straßendecke, als wolle er sich dort so festkrallen wie im Boden eines richtigen Spielfeldes. Er machte ein paar Probeschwünge mit dem Schläger, als Naomi und ihre Mutter auf ihrem Weg zu den »Eichenterrassen« um die Ecke kamen.

»Ei, wer kommt denn da? Sieh mal, ›Franzi, die Gans‹«, sagte der Fänger Larry Frankel hinter Alan mit unterdrückter Stimme.

Der Ball ging vorbei, Alan hatte gar nicht hingeschaut. Gereizt drehte er sich um. »Was hast du gesagt?«

»Ich? Nichts. Du, der Ball hat gegolten.«

Hatten sie schon alle einen Spitznamen für sie? Larry wusste schon gar nicht mehr, was er gesagt hatte. Larry Frankel war sonst kein unrechter Kerl, vielleicht, weil er so klein war. Er war kein Schleimer wie manche andere, aber er benutzte seine Kleinheit um ungeschoren aus allen Sachen rauszukommen. Alan sah, dass Naomi direkt zu ihm herüberblickte. *Komm bloß nicht näher!* Im gleichen Augenblick ärgerte er sich über sich selbst. Warum sollte sie nicht? Sie war genauso gut wie die andern. Sie war besser.

Naomi machte auf dem Gehsteig ein grüßendes Zeichen, ihre etwas emporgehaltene Hand öffnete und schloss sich zweimal. Alan antwortete mit der gleichen Bewegung.

Warum bist du denn jetzt zufrieden? Du bist ein Feigling, sonst nichts. Grüßt heimlich. Versteckst sie. Er wollte rufen: He, Naomi, komm mal her und guck zu! Er holte tief Luft, aber er brachte kein Wort heraus. Feigling!

Alan holte gegen den nächsten Ball aus und legte seine ganze Wut in den Schwung seines Schlägers, und mit einem lauten Platsch flog der Ball hoch über die Bäume an der Straße.

»Fehler«, brüllte Condello.

»Mach den nächsten besser, Al, Baby«, rief Shaun.

Vielleicht war es ein Fehler gewesen, aber es war der schärfste Schuss, den er je rausgelassen hatte. Er fühlte sich jetzt etwas besser. »Franzi, die Gans«, was? Na warte.

»He, Frankel«, flüsterte Alan zum Fänger zurück, »soll ich dich ab jetzt ›Franky, die Wanz'‹ nennen?«

»Lieber nicht, Silverman«, flüsterte Larry zurück.

»Dann nenn sie nicht mehr ›Franzi, die Gans‹!«

»O. K., und wie soll ich sie nennen?«

»Naomi. Alles klar?«

»Klar.«

»He, Schluss da!«, schrie Condello. »Es wird gespielt.«

Alan war verblüfft. Hatte Larry eingelenkt, weil Alan etwas größer war? Hatte Larry Angst vor ihm? Konnte denn irgendjemand vor ihm Angst haben?

Der nächste Ball kam genau richtig über das Mal, aber Alan war noch in Gedanken.

»Hat gegolten!«, rief Larry Frankel.

»Raus, Bomber Silverman!«, schrie Joe Condello.

Alan ließ den Schläger fallen und ging zum Gehsteig, diesmal ohne mit sich selbst zu hadern. Es war der schönste Schlagball-Patzer seines Lebens, letztes Spiel des Jahres oder nicht. Und wenn da jemand noch was über Naomi sagte, na, dem würde er es aber zeigen.

Der nächste Schläger schlug einen hohen Ball zum Außenfeldspieler und das Spiel war zu Ende. Die meisten anderen Jungen, Shaun eingeschlossen, schlenderten zu den Fußballspielern hinüber. Aber Alan ergriff seinen Schläger und ging zu den »Eichenterrassen«. Fußball, das war hoffnungslos. Vielleicht zeigte ihm Shaun einmal, wie man mit diesem Ball umging. Morgen vielleicht.

»Warum bist du rot?«, fragte seine Mutter, gleich als er zur Tür hereinkam.

Die Frage kannte er. Wenn seine Mutter für die üblichen Fragen keinen Anlass hatte – »Du isst nicht. Warum?« – »Du bist spät. Warum?« – »Du beißt auf die Lippen. Warum?« –, dann hatte sie immer noch in Reserve: »Warum bist du rot?«

»Ich bin rot im Gesicht«, sagte Alan, »weil ich gerade Hausmeister Finch zusammengeschlagen habe, und ich ließ ihn die ganze Flasche Salmiakgeist austrinken.«

»Frech. Freche Antworten, das brauche ich nicht.«

»Ehrlich. Steht morgen in der Zeitung. Wart nur ab. Wenn die Polizei hier ist, wirst du schon sehen.«

»Schluss, Alan. Genug. Hör zu. Wir müssen dich bitten etwas zu tun.«

»Was kommt jetzt?«

»Du wirst nicht wollen. Aber – man muss es tun. Oi Gott, ich wünschte, dein Vater wäre hier. Er kann so gut erklären.«

»Also sag's schon. Mami, bitte sage es. Und wenn ich vom Empire State Building runterspringen müsste.«

»Es ist vielleicht schlimmer. Für dich. Also. Hör zu. Du musst ausgehen, verstehst du, oder spielen oder spazieren gehen oder sonst etwas mit Naomi – aber nicht im Haus.«

Unglaublich. Konnte sie Gedanken lesen? Er hatte gerade wieder an das verstohlene Winken gedacht.

»Mrs. Liebman hat es gesagt. Gestern. Naomi hat Angst auf der Straße ohne ihre Mutter. Aber sie muss auf die Straße gehen. Bitte, Alan. Der Doktor sagt das. Du kannst ganz früh gehen. Die Jungen schlafen dann. Oder sie sind in der Kirche. Niemand ist auf der Straße so früh. Niemand wird dich sehen.«

Alan setzte sich an den Küchentisch. »Nun mach nicht so ein Riesentheater. Ja, ich mach's.« Und wenn die anderen etwas dagegen haben, dachte Alan, bitte, sollen sie. Und das gilt auch für Shaun.

Seine Mutter schaute ihn fassungslos an. »Was? Ja? Du hast Ja gesagt?«

»Nein. Ich habe Jein gesagt. Das heißt: nein, ich mach's. Jein steht im Wörterbuch, falls du es noch nicht kennst.«

»Du machst mich verrückt, Alan. Verrückt steht auch im Wörterbuch. Du hast Ja gesagt? Ja?«

»Ja.«

»Ein Wunder. Ohne *a Tummel*? Oi Gott, es ist zu viel für mein Herz. Alan, bist du bei dir? Alan, du bist rot.«

»Ich weiß«, sagte Alan, »der Finch hat sich fürchterlich gewehrt.«

»Meschuggener.«

»Da hast du Recht.«

Alan ging auf sein Zimmer und setzte sich an seinen Schreibtisch, um die Piper Cub zu begutachten. Nach größeren Reparaturarbeiten waren jetzt die Klebstellen neuer Verstrebungen am trocknen. Vielleicht könnte er mit Shaun morgen Nachmittag die Flugzeuge steigen lassen und das verdammte »Football«-Training sausen lassen. Komisch, was alles passieren kann. Noch vor ein paar Wochen hätte er getobt und hohngelacht, hätte ihm einer gesagt, er müsste mit Naomi durch die Straßen marschieren. Aber jetzt . . . jetzt wünschte er es fast herbei. Er könnte ihr alles Mögliche zeigen und sie irgendwie beschützen und beraten. Wahrscheinlich kannte sie mit Ausnahme des Krämerladens sowieso nichts von dem Wohnviertel.

Alan strich noch etwas Leim auf eine lose Strebe. Plötzlich überfiel ihn der Gedanke: das Flugzeug! Na klar. Er würde mit Naomi zum Holmes-Flugfeld gehen! Sie könnten zusammen das Flugzeug fliegen lassen. Und zusammen würden sie viel Spaß haben.

Alan rannte zur Küche zurück und erzählte das seiner Mutter.

»Alan«, sagte sie, »es ist zu weit. Man braucht Stunden.«

»Ja, auf dem Weg, den du gehst. Nicht auf meinem Weg.«

»Hör zu. Vielleicht ein andermal –«

»Warum fragst du nicht erst wenigstens ihre Mutter? Oder Mrs. Liebman? Oder Mr. Liebman? Oder wer da Chef ist. Ihr habt doch immer geheime Besprechungen. Also los, ruf eine geheime Besprechung zusammen.«

»Nu ja. Ich werde fragen. Man darf fragen. Ich frage. Warum nicht? . . . Ich bin gleich zurück.«

Alan ging in der Küche hin und her, als seine Mutter oben war. Er schaute mal schnell in den Kühlschrank, aber da war nichts Lohnendes außer den Cornedbeefscheiben. Die waren fürs Abendessen . . . Alan stopfte sich ein großes Stück in den Mund. Er war noch am kauen, als seine Mutter zurückkam.

»Was isst du, Alan?«

»Was haben sie gesagt?«

»Ist das Cornedbeef, Alan?«

»Also was haben sie gesagt?«

»Sie haben gesagt: gut. Aber du musst sie anrufen, wenn du dort bist. Damit man weiß: alles in Ordnung.«

»Da gibt's kein Telefon. Das ist ein leeres Feld.«

»Dann gehst du zu einem Laden in der Nähe, ja?«

Sie machte den Kühlschrank auf und schaute hinein. »Alan, es ist das Cornedbeef.«

Alan schluckte den Rest herunter. »Nein, es war das Cornedbeef.«

»Du Witzigheimer.«

Er duckte sich unter ihrer Ohrfeige hindurch und lief auf sein Zimmer, um die Piper Cub nochmals zu prüfen. Sie war flugbereit.

Er hob das Flugzeug langsam hoch über den Tisch, ganz langsam, führte es durchs ganze Zimmer, bis in die Wolken. ALAN SILVERMAN, WELTBERÜHMTER PILOT, BEENDETE DIE LETZTE ETAPPE SEINES REKORDFLUGS RINGS-UM-DIE-WELT MIT SEINER VERLOBTEN NAOMI AN SEINER SEITE! »ES WAR NICHTS«, WAREN SEINE WORTE BEI DER GEKONNTEN BRUCHLANDUNG AUF DEM HOLMES-AIRPORT. BERICHT UND FOTOS AUF SEITE 17.

22

»Du bist noch nicht fertig?«, rief Alans Mutter zu seinem Zimmer herüber. »Sie wird jede Minute hier sein.«

»Ich bin fertig. Ich bin fertig«, rief Alan zurück. Warum war sie immer so aufgeregt, wenn Leute kamen oder gingen? Was war denn, wenn er sich eine Minute verspätete? Dann warteten sie halt eine Minute.

»Alan. Eil dich schon!« Seine Mutter erschien in der Tür, das Haar wirr und ungekämmt. Wie eine Hexe, dachte Alan. Sie wird Naomi zu Tode erschrecken.

»Das ist doch zum Verrücktwerden«, schrie er. »Ich muss den Werkzeugkasten fertig machen. Was, zum Teufel, willst du?«

»Pass nur auf, du. Wie frech du bist. Und wie du sprichst. Was für Wörter.«

»Du denkst, das wär was? Guck dir mal ein Schlagballspiel an. Da kannst du was hören. Da lernst du Wörter, von denen du gar nicht gewusst hast, dass es die gibt.«

»Ich höre durch das Fenster. Ich höre sehr viel. Jeder im Haus hört das. Ekelhaft. Und Mädchen spielen auch da.«

»Von mir hörst du nichts.«

»Ich weiß.«

»Weil ich nämlich brav bin.«

»Genug. Du hast mir jetzt genug Ärger gemacht. Dein Vater schläft. Lass ihn schlafen! Er arbeitet schwer, die ganze Woche. Was ist mit dir? Du willst nicht mit ihr gehen? Nu, so sag es. Aber hör auf mich zu schikanieren. Mach nicht *so a Tummel.*«

»Aber ich will doch gehen. Was sagst du jetzt? Ich will nur nicht gehetzt werden –«

Die Klingel schellte. Seine Mutter strich sich das Haar zurück und deutete zur Tür.

»Mein Haar ist nicht gekämmt. Alan, bitte.«

»Meins auch nicht.«

»Alan.«

Alan machte die Tür auf, immer noch gereizt.

Naomi hielt die Hand ihrer Mutter. Wie eine Zweijährige, dachte Alan. Sie trug eine grüne, zugeknöpfte Strickjacke. In der freien Hand hielt sie eine braune Papiertasche. Grüne Strickjacken kann ich nicht ausstehen, dachte Alan. Ein schreckliches Ding. Kein Mensch trägt so was. Und was hat sie da in der Tasche? Hoffentlich nicht die Puppe. Bloß nicht die.

»Bin gleich zurück«, sagte Alan knapp. Er holte schnell den Werkzeugkasten und das Flugzeug und sagte: »Los, gehen wir!« Es war ihm bewusst, dass er kratzbürstig wirkte, aber genauso fühlte er sich.

»Ukay«, sagte Naomi. Mrs. Kirschenbaum zog Naomis Jacke noch einmal glatt und gab ihr einen Kuss.

Alan ging hinter Naomi die Treppe hinab. Konnte sie nicht etwas schneller gehen? Und wenn Shaun gerade die Wohnungstür aufmachte? Oder sonst jemand? Es machte ihm ja nichts aus. Natürlich nicht. Aber trotzdem ...

Sie kamen zum Vorplatz und Naomi blieb vor der großen Glastür stehen. Was ist denn nun los. Wartete sie etwa, dass er ihr die Tür aufhielt? Mach sie ruhig selber auf!

Aber sie rührte sich nicht. Alan setzte sein Flugzeug ab und öffnete die Tür, aber sie blieb stehen. Verängstigt sah sie auf die Straße, als wäre da ein Fluss, in den sie von hoch oben springen müsste.

»Komm nur, Naomi. Ich bin bei dir. Es ist nur ein blöder Gehsteig.«

Naomi machte ein paar Schritte auf die Straße, hielt inne und schaute zu ihm zurück. Sie war wie ein kleines Kind, das auf seine Eltern wartet, und er benahm sich wie ein Schwein. Er sagte so freundlich wie möglich: »Also, Naomi, jetzt geht's zu meinem Lieblingsplatz, zum Holmes-Flugfeld. Es ist zwar kein Flugfeld mehr. Aber immer noch mein Lieblingsplatz.«

Er merkte, dass sie beim Gehen immer einen halben Schritt hinter ihm blieb. Wenn er am Straßenrand anhielt, hielt sie auch an. Wenn er die Straße schnell überquerte, lief sie mit. Wie ein kleines Kind.

Ein paar Straßenzüge von den »Eichenterrassen« entfernt ging Alan etwas langsamer. Unwahrscheinlich, dass einer der Jungen aus seinem Häuserblock sie hier sehen würde. Naomi richtete sich wieder nach seinem Tempo, immer etwas hinter ihm.

Dann kamen sie zu dem Spielwarengeschäft, in dem Alan fast alle seine Modelle kaufte. Obwohl es Sonntag war, lief eine Spielzeugeisenbahn unermüdlich im Schaufenster ringsherum, verschwand unter einem Berg und tauchte vor einem Dorf wieder auf.

»Sieh mal!«, rief Alan aus.

»Oh. *C'est joli.* Es ist ein ganz kleines Dorf«, sagte Naomi und lehnte sich gegen das Fenster.

»Eines Tages werde ich auch so eine Eisenbahn haben«, sagte Alan. »Aber sie ist sehr teuer.«

»Ich habe einen Jungen gekannt, er hatte auch einen Zug, so wie –«, sie unterbrach sich. »Ich habe keinen Jungen gekannt ... Nein, niemals, niemals ...« Sie trat vom Fenster zurück und drehte sich dann zu Alan um, als bitte sie ihn inständig mitzukommen.

Alan trat neben sie. »Was ist los?«, fragte er. »Hat dich etwas erschreckt ...?«

»Es ist nichts. Bitte nicht fragen. Bitte.« Sie ging einfach weiter.

Alan dachte sich, es könnte vielleicht mit Europa zusammenhängen. Solange sie zusammen gewesen waren, hatte sie nie über Europa gesprochen.

Während sie so spazierten, schien Naomi tief in Gedanken, und Alan pfiff leise vor sich hin und nach einer Weile pfiff Naomi mit.

Es dauerte über eine Stunde, bis sie das Flugfeld erreichten, und dann noch einmal zehn Minuten, bis Alan einen Laden mit Telefon gefunden hatte. Er rief die Liebmans an und berichtete, dass alles in Ordnung sei. Naomi war offenbar überhaupt nicht mehr verängstigt. Er erwähnte auch nicht mehr die Eisenbahn, bei der sie so verschreckt gewirkt hatte. Wozu auch? Naomi schien jetzt völlig normal.

Dann lief Alan mit Naomi auf das weite, offene Feld hinaus. »Alan. Es ist *magnifique*. So weit. So viel Himmel über uns.«

»Wettlauf, Naomi!«, rief Alan. »Komm, bis zur Mitte vom Feld.«

»Ich komme. Warte! Du bist zu schnell!«

»Wir sind da!«, schrie Alan, als er schließlich anhielt. »Holmes-Flugfeld.«

Naomi drehte sich und schaute in alle Richtungen, in einer Hand die Papiertasche, die andere Hand schützend über die Augen gehalten. Der Wind aus dem Westen wellte durch das hohe Gras.

»Es ist großartig . . . Aber das Flugfeld? Ich sehe es nicht«, sagte Naomi verwirrt.

»Hier. Hier ist es. Du stehst drauf. Holmes-Flugfeld.«

»Aber das ist nur großes, weites, leeres Feld. Wo sind die Flugzeuge?«

»Alle weg. Aber das war einmal der größte Flugplatz der Stadt«, sagte er. »Sieh mal da drüben. Der lange Streifen, wo stellenweise kurzes Gras wächst. Das war die Landebahn. Und da lassen wir unsere Piper Cub fliegen. Komm.«

Sie gingen zur Mitte der Landebahn. Alan setzte seinen Werkzeugkasten auf dem Kies ab und Naomi stellte ihre Papiertasche daneben.

»Was ist da drin?«, fragte Alan.

»Überraschung«, sagte Naomi.

»Kann ich mal reingucken?«

»*Non.* Später. Etwas zu essen.«

»Wirklich? Was denn?«

Sein Magen verkrampfte sich richtig vor Hunger, andererseits wollte er jetzt das Flugzeug in die Luft bringen, denn der Wind war, wie er sein sollte.

»Also«, sagte er, »jetzt sieh zu. Ich drehe den Propeller auf. Siehst du's?«

Sie schaute zu, als er den Propeller mit dem Finger immer weiter herumdrehte. Er zählte die Drehungen laut mit: ». . . 301, 302, 303, 304 . . .«

Bei 700 hörte er auf, prüfte den Wind und hob das Flugzeug über den Kopf, noch mit einer Hand auf dem Propeller, um ihn festzuhalten.

»Jetzt«, sagte er. »Es ist so weit. Start!«

Die Piper flog in weitem Bogen hoch, genau in die Sonne.

Naomi folgte ihr und lief die Landebahn entlang. Sie rief hinauf: »Ho, gelber Vogel! Warte auf mich! Ho, *oiseau jaune!*«

Alan schaute dem Flugzeug nach, das nach der großen Aufstiegskurve jetzt nach Norden flog.

»Ich bin schneller, Alan . . . Sieh her, Alan!«

Sie rannte über das Feld, rufend und springend, fast tanzte sie unter dem kreisenden Flugzeug.

Einen Augenblick lang dachte Alan an die Naomi, die auf dem Bett Papier zerriss, und dann an die Puppe Yvette. Sein Vater hatte Recht – sie war nicht lebendig gewesen. Er wünschte, sein Vater könnte sie jetzt sehen. Und Mrs. Liebman und Mrs. Kirschenbaum. Und jeder Mensch auf der Welt.

»Du machst mir Schwindel, verrücktes Flugzeug. Ho, komm zurück!«, rief Naomi.

Als das Flugzeug zur Landung ansetzte, winkte sie aufgeregt mit den Armen und schrie: »Ho, *oiseau jaune. Je suis ici.* Ich bin hier.«

Das Flugzeug setzte im Gras auf. Naomi raste dorthin und war noch vor Alan dort. Aber sie zögerte es anzufassen. Alan kam hinzu und kniete sich neben das Flugzeug.

»Ist etwas kaputt?«, fragte Naomi ängstlich.

»Mal sehen . . . Nein. Ein kleiner Riss im Flügel, das ist alles. Das werden wir gleich haben. Komm, ich brauch den Kasten.«

Alan klebte etwas Seidenpapier über die Riss-Stelle und nach einigen Minuten war das Flugzeug wieder betriebsbereit.

»So, Naomi. Jetzt kommst du dran.«

»Ich?«

»Klar. Hier, halt's fest.«

Er zeigte ihr, wie man den Propeller mit schnellen, gleichmäßigen Drehungen eines Fingers aufzieht, wie man sich hinstellt und das Flugzeug startet.

»Jetzt. Lass los!«

»Jetzt?«

»Jetzt!«

»Bon voyage.« Sie entließ das Flugzeug, das schnell in einem großen Bogen aufstieg. Abermals rannte sie hinterher, hüpfend, wenn es zu geschwind zu sinken begann, und laut rufend, wenn es auf einer neuen Luftströmung höher kletterte. Diesmal machte es eine Bilderbuchlandung drei Meter vor Naomi und sie sah, wie die Räder Staubwölkchen aufwirbelten, genau wie ein richtiges Flugzeug.

»Schau nur. *C'est épatant.* Schau, Alan, wie schön.«

Immer wieder ließen sie das Flugzeug fliegen, bis Naomi vor lauter Rufen heiser und Alan vom Hinterherrennen ganz erschöpft war. Woher hatte sie nur die Energie?

Sie setzte sich und bewunderte das Flugzeug, das alle Flüge so gut wie heil überstanden hatte.

»Du musst ihm einen Namen geben«, sagte Naomi.

»Zum Beispiel?«

»Oiseau jaune.«

»Was heißt'n das?«

»Gelber Vogel. Nenn ihn *oiseau jaune.*«

»Also gut. So heißt er jetzt. *L'oiseau jaune.* Shaun wird denken – na ja, der braucht das gar nicht zu wissen.«

»Wer ist Shaun?«

»Och . . . ein Freund von mir.«

»Er wohnt im ersten Stock?«

»Genau. Woher weißt du das?«

»Ich sehe ihn, mit dir. Er hat auch ein Flugzeug, ja? Du weißt, unten in der Halle. Er nannte mich ›Irre Ida‹. Er sagte: ›Irre Ida im Anmarsch.‹«

Alan verschlug es die Sprache. Sie hatte es gehört. Es war gefährlich im Vorplatz zu flüstern, es hallte von allen Wänden wider. Was konnte er jetzt sagen?

»Es ist mir egal«, sagte Naomi. »Alan, es ist egal. Es macht nichts.«

»Ach, weißt du, der sagt so Sachen . . . der erfindet Namen, sogar für mich. Aber er meint es nicht böse.«

»Es gibt auch eine Comicserie ›Irre Ida‹, *oui?*«

»Ich glaub schon.«

»Es ist mir egal. Ich bin irre, weißt du.«

Irre? Sie? Nein. Aber wie kann sie so etwas sagen? Als ob das bedeutungslos wäre. So wie Halsweh . . . Sie war nicht verrückt. Unmöglich. Verrückte wissen nicht, dass sie verrückt sind, das weiß doch jeder. Sie hatte viel zu viel Grips, zu viel Witz, zu viel alles Mögliche, um verrückt zu sein.

»Du bist in Ordnung. Bei dir stimmt alles . . . Also, sag mal, was ist in der Tasche da?«

»Ukay. Augen zu!«

Er hörte, wie die Papiertasche aufgemacht wurde. Naomi bereitete anscheinend etwas vor.

»Ukay. Augen auf!«

Auf einem großen roten Tuch war ein kleines Festmahl ausgebreitet. Da lag ein Dutzend kleiner Dreifach-Sandwiches, da stand ein Pappbecher mit Tomatenstückchen und Oliven. Darum herum: kleine Zitronen-, Erdbeer- und Schokoladenschnittchen mit Zuckerguss. Und dann war da noch eine kleine Milchflasche mit weiteren Pappbechern.

»Herrlich«, sagte Alan. »Donnerwetter, deine Mutter weiß aber, was zu einem anständigen Picknick gehört.«

»Nicht *ma mère*. Das habe ich gemacht.«

»Du?«

»Ist leicht. Ich zeige es dir einmal.«

»Darf man gar nicht essen«, sagte Alan, »sieht viel zu schön aus. Aber ... wir essen's trotzdem.«

Es schmeckte genauso gut, wie es aussah. Alan fragte sich, ob es deswegen so elegant angerichtet und so »anders« wäre, weil Naomi Französin war. Wenn seine Mutter ihm ein Sandwich machte, war es voll gestopft, es hatte eben nicht den kühlen, zarten Wohlgeschmack wie diese hier.

»Wirklich toll«, sagte Alan und nahm die dritte Schnitte. »Aber das wäre nicht nötig gewesen – die Arbeit, die Mühe, das Decken.«

»Warum nicht? Du bist mein Freund.«

»Trotzdem ...«

»*Non,* das war nichts. Ich habe oft Picknick gemacht, mit Freunden. Vor langer, langer Zeit. Wir spielten Picknick im Hof, mit Geschirr für Puppen ... Meine Freunde ... sie sind alle tot jetzt, ja?«

»Nein«, sagte Alan, »ich meine: vielleicht nicht.«

Alan dachte an die Wochenschau und die Fotos: brennende Häuser in London, Nazi-Truppen auf dem Marsch, Menschen, die in Lastwagen verfrachtet werden, Paris gefallen, Frankreich gefallen. Naomi war dort gewesen. Was hatte sie wirklich gesehen?

Er wollte fragen. Er wollte es wissen. Vorsicht, dachte er. Lass sie reden, wenn sie reden will. Sei vorsichtig.

23

Naomi legte die Arme um ihre Knie und starrte in Gedanken versunken auf den Boden. Der Wind blies ihr eine Haarsträhne über die Wange. Mit ihren schwarzen Augen und dem schmalen, dunkel getönten Gesicht sieht sie richtig schön aus, dachte Alan. Wo hatte er dieses Gesicht nur gesehen? Er konnte sich nie dran erinnern.

»Ja, sie sind tot«, sagte Naomi nach einer langen Pause. »Ich glaube es.«

»Vielleicht siehst du sie wieder, weißt du, wenn der Krieg vorbei ist«, sagte Alan schnell.

»Der Krieg ist vorbei.«

»Nein ... Ich meine, jetzt dauert's nicht mehr lange. Unsere Truppen stehen schon auf deutschem Boden.«

»Ah oui.« Sie sagte es völlig ausdruckslos.

»Sollen wir vielleicht über etwas anderes reden?«, fragte Alan.

»Ich habe meinen Vater getötet, weißt du.« Die Wörter kamen auf ihn zu und umklammerten ihn wie eine giftige Schlange. Er hatte Angst etwas zu sagen. In so einem Augenblick ist jedes Wort verkehrt.

»Ich ... ich ...« Sein Denken setzte aus. Es war ihm klar, dass er stotterte. Sie war also doch verrückt. »Ich ... hab gedacht, es waren die Nazis?«

»Ah oui.«

»Stimmt's nicht?«

»Aber ich habe geholfen.«

»Na ... Naomi, das ist doch nicht wahr.«

»Ich lüge? Wie weißt du? Sag mir. Du warst dabei? Du warst dabei?«

»Nein ... nein ...«

»Alle die Pläne. Ich habe ihn getötet, mit den Plänen. Verstehst du? Alle die Pläne. Die Pläne.« Mit aufgerissenen Augen saß sie da. Ihre Fäuste schlossen sich und öffneten sich, während sie sprach.

Nerven behalten, dachte Alan. Du Blödmann, behalt jetzt bloß die Nerven. Locker. Bleib ganz locker. Aber sie sieht schon ... sie sieht schon etwas gestört aus. Richtig gestört.

»Naomi, ich ... ich verstehe es nicht. Die Pläne und all das. Brauchst es ja auch nicht zu sagen. Nur, Naomi, bitte, bitte ... Ist doch alles gut jetzt. Nimm's nicht so schwer ... bitte.«

Naomi sah starr geradeaus, an Alan vorbei, auf einen Punkt in ihrer Erinnerung.

»Mein Vater. Er sagte: ›Zerreißt alle Pläne!‹ Von der Kanalisation. Sie gingen durch die Kanäle. Die Soldaten der *Résistance,* vom Widerstand. Mein Vater machte die Pläne. Von den Kanälen in Paris. Er sagt: ›Ihr müsst die Pläne zerreißen!‹ Ich ... ich ... Dann in der Nacht. Die Soldaten vom Widerstand. Sie greifen die Gestapo an in der Nacht. Aber die Nazis, sie entdecken es. Mein Vater macht die Pläne. Sie entdecken es. Und sie kommen. Sie kommen. Sieh nur. Zwei Lastwagen in der Straße. Mein Vater sagt: ›Zerreißt die Pläne. Naomi, zerreiße die Pläne. In die Toilette und ziehen. Zerreißt die Pläne!‹ Wir reißen. Wir reißen. Unsere Fingernägel, sie brechen. Unsere Hände – voll Blut. Ich reiße, ich kaue, ich esse Pläne. Es geht nicht mehr. ICH KANN NICHT. ICH KANN NICHT MEHR. Aber die Nazis, sie sind vor der Tür. ›*Vite! Vite!* Reißt! Reißt! Reißt! Schneller! Schneller!‹ Er stößt mich unter das Bett. Dann, sie schlagen an die Tür. Sie brechen durch die Tür . . . Sieh nur. Sie schlagen ihn mit Knüppel. Sie schlagen ihn auf den Boden. Sein Kopf ist voll Blut. Überall Blut. Blut unter dem Bett. Überall. Überall. Blut . . . Ich reiße. Ich reiße die Pläne. Ich reiße nicht genug. Nein. Nicht genug. Ich konnte nicht . . . Sie gehen. Sie sind weg. Die Nazis sind weg. Hör nur . . . So still. Pst. So still. Vielleicht, alles ist gut? Vielleicht, er schläft nur, mein Vater? . . . Dann sagt er, ganz schwach: Naomi! Er sagt: Naomi. Naomi. Naomi. Und er schläft ein. Ich versuche ihn zu wecken. ER IST TOT. ER IST TOT. ICH REISSE, ICH REISSE, ICH REISSE. NICHT GENUG! NICHT GENUG! –«

»Naomi, hör auf! Du konntest doch nichts machen. Hör auf! Es waren Nazis. Die Nazis. Naomi! Du kannst doch nichts dafür!«

»Sieh nur. Meine Hände sind rein. Mein Kleid ist rein. Er ist tot, das ist alles. So viel Blut . . .«

»O Naomi. Naomi . . .«

Alan legte seine Hand auf ihre Schulter, dann auf ihren Kopf, sanft wie sein Rabbi, als der ihm den Segen erteilte. Die alten Worte kamen ihm in den Sinn:

der Herr segne dich und beschütze dich. Er lasse sein Angesicht leuchten über dir und gebe dir seinen Frieden. Für sie, dachte Alan. Für sie.

»Du bist . . . du bist in Sicherheit, Naomi. O. K.? Du bist hier sicher. Niemand wird dir etwas tun. Ich lass es auch nicht zu. O. K., Naomi? . . . O. K.?«

»Ukay.«

»Wenn du willst, kommst du einfach zu mir. Auf der Straße oder sonst wo. Wenn jemand pampig wird. Oder wenn du nur reden willst. Oder überhaupt. O. K.?«

»Ukay.«

»Hab keine Angst mehr, Naomi. O. K.?«

»Ukay.«

24

Sie gingen sehr langsam zurück. Naomi sagte nichts, aber von Zeit zu Zeit blickte sie auf Alan, wie um sich zu vergewissern, dass er noch bei ihr war.

Wieder überkam ihn die gespenstische Vorstellung, er hätte ein solches Mädchen schon einmal gesehen oder gekannt. Mit diesen großen schwarzen Augen. Da zuckte etwas in seiner Erinnerung – es hatte mit den Nazis zu tun, irgendwie mit dem Zusammentreiben von Juden, wart mal . . . wart doch mal . . .

Und dann kam die Erinnerung zurück. Er hatte

einmal eine Wochenschau im Kino gesehen, ebendie, bei der sein Vater geweint hatte. Da war ein Mädchen mit großen schwarzen Augen gewesen, die Soldaten hatten sie in einen Lastwagen verfrachtet. Sie hatte den Kopf zurückgeworfen und für einen winzigen Augenblick genau in die Kamera geblickt. Sie sah aus wie Naomi, die gleiche Stirn, die gleichen Augen und die Trauer darin. Es waren Dutzende von Juden gewesen, die für den Transport zum Konzentrationslager gewaltsam in den Lastwagen verladen worden waren.

Aber das Mädchen hatte Alan direkt angeschaut und er hatte sich auf seinem Sitz gewunden, ganz erfüllt von dem wilden Wunsch ihr zu helfen.

Es war natürlich nicht Naomi, der Schauplatz war Warschau in Polen gewesen. Dennoch war es Naomi. Denn es schien, als könnte auch alles hier geschehen, im New Yorker Stadtteil Queens.

Der Lastwagen, der da hinten parkte – es könnte auch ein Lastwagen der Nazis sein. Das graue Gebäude da drüben könnte das Hauptquartier der Gestapo sein. Wir könnten in diesem Augenblick in Warschau auf dem Heimweg sein. Stellen wir uns vor: ein schöner Sonntag. Alles schön und friedlich. Sie trägt die grüne Strickjacke, so wie jetzt. Die Sonne scheint, so wie jetzt. Und der Lastwagen setzt sich langsam in Bewegung und hält dann vor uns. Und man stößt uns hinein. Und keiner weiß es. Und keinen interessiert's.

Interessiert sich sowieso niemand für irgendwas. Irre Ida, Franzi, die Gans, nennen die sie. Ihr Vater aber hat den Nazis getrotzt. Er war ein Held. Und sie genauso. Jawohl, sie auch. Zerriss Pläne, bis sie blutige Hände hatte.

Alan dachte plötzlich wieder an den Stadtplan von New York im Flur. Mit den rot eingezeichneten Linien. Das viele Papier, das sie klein gerissen hatte. Sie hatte versucht sein Leben zu retten. Die ganze Zeit hatte sie versucht sein Leben zu retten. Naomi zögerte am Straßenrand. Ein Streifenwagen fuhr mit heulender Sirene über die nächste Kreuzung. Verängstigt blickte sie auf Alan.

»Keine Sorge«, sagte Alan, »die Polizisten spielen wieder einmal Nachlaufen.«

Alan nahm ihre Hand und hielt sie fest, als sie die Straße überquerten. So klein war ihre Hand in seiner. Es tat ihm wohl. Er kam sich vor wie ein Erwachsener. Wie ein Erwachsener ohne Furcht. Er hielt ihre Hand bis zur nächsten Querstraße. Dann brachte er den Werkzeugkasten und das Flugzeug neu auf seinem freien Arm unter und fing an, ihre Hand nach vorn und hinten hochzuschwingen, immer höher und höher. Naomi musste lächeln.

Nur so kurz wie die Aufnahme eines Fotos war das Bild des schwarzäugigen Mädchens aus der Wochenschau vor ihm. Klick: Er hielt ihre Hand und für den Bruchteil einer Sekunde lächelte sie auch. Und klick: Das Bild war verschwunden.

Alan schwang Naomis Hand in großem Kreis hoch über ihre Köpfe, herum und herum wie ein Riesenrad, den Griff einmal lockerer und wieder fester, nach oben, nach unten, immer weiter, und Naomi lachte und rief: »*Arrête!* Du bist verrückt, Alan! Hilfe!« Jetzt fühlte sie sich wohler, sie war sie selbst, sie war Naomi. Und beide waren sie in Queens, New York City. Keine Nazis weit und breit.

Alan spielte jetzt »Flieger« mit seiner Piper. Vor Naomi ließ er sie Kunstflugrollen machen und Loopings drehen und dann rückwärts fliegen. Sie versuchte das Flugzeug zu fangen, aber er hielt es außer Reichweite.

»Kann ich mal?«, fragte sie.

Mach so weiter, dachte Alan, das läuft ganz gut. »Musst es halt fangen«, sagte er und zog sie auf. »Kannst ja nicht mal einen gelben Vogel fangen.«

»*Oh oui,* kann ich doch.«

»Das wollen wir mal sehen.«

Naomi rannte hinter Alan her, der das Flugzeug in die Höhe hielt. Plötzlich blieb er stehen, ließ die Piper eine Kurve drehen und auf Naomis Kopf landen.

»Kein Sprit mehr«, sagte er. »Bauchlandung. Schade.«

Naomi spielte jetzt mit dem Flugzeug, ließ es im Sturzflug zur Straße und dann wieder steil nach oben fliegen. Doch als sie sich dem Spielzeugladen mit der Eisenbahn im Fenster näherten, bemerkte Alan, dass sie das Flugzeug absichtlich weg vom Fenster, zur Bordschwelle fliegen ließ. Es war offensichtlich, dass sie das Schaufenster meiden wollte. Sie hielt die Piper sehr hoch und »flog« sie am Straßenrand entlang über die Dächer der geparkten Autos. Als sie an der nächsten Ecke auf Grün warteten, bewegte sie das Flugzeug in kleinen Kreisen über ihrem Kopf.

Da erst gewahrte Alan Shaun, der sie von der hinter ihnen liegenden Kreuzung beobachtete. Er musste ihnen schon die ganze Zeit mit großem Abstand gefolgt sein. Alan kniff die Augen zu und starrte zu ihm hinüber, während die nichts ahnende Naomi die Piper kreisen ließ. Shaun kam ein paar Schritte näher, zögerte dann aber und blieb stehen.

»So ist das also, Silverman!«, rief er.

»Was denn?«, rief Alan zurück.

»Wirst schon sehen, was passiert.«

Naomi drehte sich um. »Was ist los?«, fragte sie Alan.

»Keine Ahnung«, gab er zur Antwort. »Aber komm jetzt. Wir müssen weiter.« Er nahm sie am Arm und führte sie, so schnell es ging, über die Straße.

»Schisser!«, rief Shaun aus der Entfernung.

Alan ging mit Naomi weiter. Er ballte eine Hand zur Faust. Warum schnüffelte Shaun ihm nach? Alter Schnüffler. Irre Ida. Franzi, die Gans. Schisser. Sollen sie doch alle zum Teufel gehen. Ich kann rumlaufen, mit wem ich will. Mit wem ich will.

»Alan, bitte. Du bist böse mit ihm?«, fragte Naomi.

»Ja.«

»Was hat er gemacht?«

»Er hat Schisser gerufen.«

»Was ist Schisser? Wie Feigling?«

»Kann's nicht erklären.«

»Du bist böse mit mir auch?«

»Aber Naomi. Natürlich nicht.« Alan holte tief Luft und zwang sich langsam zu sprechen. »Ich bin nicht böse auf dich, Naomi. Ich hab halt meine Probleme, so wie jeder welche hat. Also mach dir keine Sorgen. Klar?«

»Es tut mir so Leid . . .«

Sie waren bei den »Eichenterrassen« angekommen. Alan stieß die Haustür auf und ging finster und schweigend mit Naomi über den Vorplatz. Warum war er so wütend auf Shaun? Weil der Schisser gerufen hatte? Nein. Er wusste ja selbst, dass er kein Schisser war. Wegen mir, dachte er, kannst du das rufen, bis du umfällst. War nicht mehr wichtig. Das Traurige war nur, dass Shaun manchmal so großartig sein konnte. So ein toller Kerl. Und manchmal so unheimlich dämlich wie eben jetzt.

25

Montag früh wartete Alan vor dem Haus auf Shaun und hoffte, er könnte auf dem Schulweg alles klären. Aber Shaun hatte offenbar das Haus sehr zeitig verlassen, und zwar mit voller Absicht, denn er ging niemals zeitig weg.

Alan machte sich also allein auf den Weg. Sein Atem wurde in der ersten Herbstkühle zu weißem Dampf. In besserer Laune hätte er vielleicht gezischt um eine Dampflok nachzuahmen, oder er hätte die lange Rauchfahne einer abgeschossenen Messerschmitt emporgeblasen. Jetzt fiel ihm ein, wie Shaun und er im letzten Herbst Zigaretten, die nur in ihrer Vorstellung vorhanden waren, unter

Ausstoßen kleiner Rauchwölkchen »geraucht« hatten.

Er fing an zu pfeifen. Er pfiff, um aller Welt zu zeigen, dass alles prima wäre, dass es ihm Spaß machte allein zur Schule zu gehen, dass ihm das Wetter gefiel – und wenn Shaun nicht mitging, zum Teufel mit ihm.

Da sah Alan weiter vorn Shaun und Tony Ferrara. Worüber lächelten sie? Sprach Shaun über ihn? *Alan Silverman spielt Flieger mit Mädchen, verstehst du das? Ein Schisser ist dieser Alan Silverman. Der spielt mit der Irren Ida.* Hatte Tony sich nicht gerade nach ihm umgesehen? Worüber redeten sie?

Alan drückte sich die Bücher in die Seite und beschleunigte seine Schritte, so gut er konnte. So einfach kann Shaun sich das nicht machen; wenn er etwas zu sagen hat, dachte Alan, dann bitte mir.

Auf der Höhe von Tony sagte Alan mürrisch: »Hallo.«

»Na, wie steht's?«, murmelte Tony.

Shaun starrte Alan wütend an, sagte aber nichts.

»Prüfung in Geschichte«, sagte Alan und sah dabei geradeaus.

»Brauchst du mir nicht zu sagen«, meinte Tony.

Alan sprach weiter: »Wichtig ist nur, dass du weißt – die Pilger landeten am Fuß der Insel Manhattan und nannten die Kolonie Jamestown zu Ehren der Königin Mary –«

»Was, zum Teufel, willst du hier?«, bellte Shaun los. »Was willst du, Silverman?«

»Nichts.«

»Dann lass mich in Frieden.«

»Wollte nur kurz was sagen.«

»Kurz was sagen? Dir müsste man die Fresse polieren.«

Mit großen Schritten wandte sich Shaun wütend in eine andere Richtung. Alan folgte ihm. Tony zuckte verwundert die Achseln und ging allein weiter.

»Hör auf mir nachzulaufen, Silverman! Hau ab!«

»Das ist doch zum Verrücktwerden, Shaun. Hör doch mal zu! Nur eine Minute. Hör mir zu!«

Shaun blieb stehen. Er nahm seine Armbanduhr ab, starrte darauf und sagte: »Also gut. Eine Minute.«

»Na schön«, sagte Alan, »ich werde mich beeilen. Die letzten Monate habe ich ihr geholfen, sozusagen. Ich konnte es dir nicht sagen. Aber ich musste es machen. Da war etwas an ihr, was nicht stimmte. Wegen Krieg. Wegen Hitler. Die Nazis haben ihren Vater erschlagen. Vor ihren Augen. Er war ganz voller Blut. Er war in der Widerstandsbewegung. Sie haben ihn totgeschlagen. Das war ein furchtbarer Schock für sie, irgendwie. Sie brauchte einen, der sie wieder auf die Beine stellte. Das war ich. Ich bin froh, dass ich's gemacht habe, Shaun. Es ist ein tolles Mädchen. Du hättest Naomi gern. Bestimmt. Sie ist Klasse. Sie ist witzig und klug und alles. Und das war das, was ich immer ›erledigen‹ musste . . . Du hörst ja nicht mal zu. Also gut, ich schulde dir zwei Dollar. Die Wette habe ich verloren . . . Also gut, die Minute ist um.«

»Noch 18 Sekunden«, sagte Shaun kalt und starrte auf seine Uhr.

»Shaun, du kennst mich doch. Ich sag die Wahrheit. Mensch, wie gern spiele ich Schlagball. Ich wollte das nicht aufgeben. Aber irgendwie ging's hier beinahe um Leben und Tod. Weißt du, es war –«

»Die Minute ist um. So, Silverman, jetzt bekomme ich meine Minute. Und hör mir gut zu, du Arschloch!«

»Shaun, ich –«

»Hör zu, Silverman! Du hast gerade behauptet, du sagst die Wahrheit. Aber du lügst –«

»Ich lüge nicht –«

»Halt's Maul! Du hast deine Minute gehabt. Jetzt hab ich meine. Draußen auf dem Flugplatz, erinnerst du dich? Du hast gemeint, vielleicht spricht sie sogar gut Englisch. Und du hättest gehört, dass sie Naomi heißt. Was du zu erledigen hattest – ja, ja, ›es hat mit der Familie zu tun‹. Du Lügner, du. Du hättest mir das alles schon damals erzählen können. Aber du hast gelogen.«

»Du hast mich doch dauernd Schisser genannt.«

»Ich habe dich nie Schisser genannt.«

»Aber du hättest es gesagt. Dauernd hast du dich lustig gemacht über Spiele mit Mädchen. Und du hast doch Schisser gesagt – gestern, mitten auf der Straße, vor allen Leuten.«

»War kein Mensch da. Außerdem war ich sauer.«

»Und ›Irre Ida‹ hast du sie genannt.«

»Das war nur Spaß. Hat doch so ausgesehen, als ob sie spinnt. Hättest mir ja sagen können, dass es nicht stimmt. Aber nein. Stattdessen lügst du mich an.«

»Ich habe nicht gelogen. Ich hab nur . . . ach, ich weiß nicht.«

»Du hast mir nicht vertraut. Ich bin dein Schlagball-Kumpel. Stimmt's? Dein Flugzeug-Kumpel. Aber dein Freund – bin ich nicht.«

Wie ein Blitz durchzuckte Alan die schmerzhafte Erkenntnis, dass Shaun Recht hatte. Er hatte ihm tatsächlich nicht vertraut. Er hatte gelogen. Er hatte nicht darauf vertraut, dass Shaun alles verstehen würde, dass Shaun eben nicht Joe Condello war. Alan kämpfte gegen Tränen an. Er durfte nicht weinen! ... Oder vertraute er Shaun immer noch nicht?

»Shaun ... ich –« Alan schluckte. »Das war falsch. Ich hab's ganz falsch gemacht. Es ... es tut mir Leid ...«

»Mir nicht. Bin jedenfalls saufroh, dass ich jetzt Bescheid weiß. Ich hab dir ja gesagt, ich mache, was ich will ... Hör zu, ich lasse dich in Ruhe, Silverman. Ich bin dir nicht im Weg. Klar? Aber bleib mir vom Leib, bleib mir bloß vom Leib. Wenn du Schlagball spielen willst – prima; geh zur andern Mannschaft, ich lasse dich in Frieden. Wenn du Flieger spielen willst – bitte, mit ihr. Und keine Sorge. Ich habe sie niemals ›Irre Ida‹ genannt. Außer einmal vor dir. Nur vor dir. Weil ich mal geglaubt habe, das wäre ... Dass ich bei dir alles sagen könnte ...«

Alan sah, dass Shaun sich selber zusammenriss um nicht zu heulen. »Ich hab dir immer alles gesagt, weil wir – na ja, fast wie Brüder waren wir. Das war mein Fehler. Na schön. Also, du gehst mir aus dem Weg und ich gehe dir aus dem Weg. Abgemacht ... Wegen dir komme ich jetzt zu spät, aber es ist mir egal. Soll sie mich eintragen. Es gibt wichtigere Dinge als pünktlich in der Schule zu sein. Aber du –

du wirst Mrs. Landley wahrscheinlich in den Hintern kriechen. Mach's gut, Silverman.«

Shaun drehte sich auf dem Absatz um und stapfte in Richtung Schule. Alan stand wie versteinert und wünschte, er könnte mit irgendeinem Zauber alles wieder gutmachen.

Es war dann nicht mehr sein dampfender Atem, es waren Tränen, die die Welt vor seinen Augen verschwimmen ließen. Wegen Naomi hätte Shaun ihn nie Schisser genannt. Er hätte ihr auch nie Spitznamen gegeben. Shaun hätte an Alans Stelle Naomi genauso gut geholfen.

Wie kann man nur so blöd sein.

26

Alan und Shaun gingen sich gegenseitig aus dem Weg – in der Schule und auf der Straße. Noch schlimmer wurde die Sache, weil Joe Condello spürte, dass da irgendwas nicht stimmte. Neuerdings höhnte er auf dem Schulweg: »He, Silverman. Wo sind denn die Unzertrennlichen? Wo ist dein Leibwächter? He, du, ich frag dich was.«

Alan biss sich dann auf die Lippen, sah starr geradeaus und überhörte ihn. Das schien ganz wirkungsvoll. Da Alan nie Antwort gab, verlor Joe Condello bald das Interesse, fing aber nach einer Weile immer wieder an, Alan mit neuem Spott auf die

Probe zu stellen. Gegen Schluss seiner Rede spuckte Joe immer aus und ging weiter. Es kam Alan ziemlich komisch vor, dass er aufgrund von Condellos Spuckerei immer wusste, wann die Schmähung zu Ende ging.

Ohne Shaun war die Schule trostlos. Aber es war eine Freude mit Naomi zusammen zu sein. Als sie am Dienstag mit dem Lernen fertig waren, überraschte sie Alan wieder mit einem Picknick, diesmal auf dem Wohnzimmertisch. Sie nannte es »Picknick verdreht«.

Sie hatte kleine gefrorene Schnittchen schichtweise mit Käse, Gurken und Eiscreme belegt. Dann gab es Cracker, jeder mit aufgetupften Klecksen Senf, Ketchup, Mayonnaise und Gemüsecreme. Das irrste Ding, dachte Alan, sind die hart gekochten Eier, mit geschnitzelter Pfefferminzschokolade gefüllt.

Ein andermal zeigte sie ihm, wie man eine Kordel von der Decke an einem Ende des Zimmers zum Boden am anderen Ende spannt. Am oberen Teil hängte sie Haarnadeln ein, die quer durchs ganze Zimmer hinabrutschten; wie Schiffbrüchige, sagte Naomi, die in einer Hosenboje am Jolltau sicher ans Ufer getragen werden. Sie erwähnte ganz nebenbei, sie hätte das als kleines Mädchen in Frankreich einmal selber mitmachen müssen.

Am Freitag eilte es nicht mit den Hausaufgaben, und Alan verbrachte den ganzen Nachmittag mit Naomi und aß dann bei den Liebmans. Naomi hatte den Nachtisch, Zitronenkuchen, gemacht und Alan, der ihr zeigen wollte, wie gut er ihm schmeckte, nahm sich dreimal davon.

Nach dem Essen schlug Mr. Liebman vor ins Kino zu gehen. Ganz in der Nähe würde ein Film mit den *Marx Brothers* laufen. *Beim Pferderennen,* und es wäre doch gut, wenn sie alle mal rauskämen. Alan hatte den Film schon vor Jahren gesehen und konnte es kaum erwarten, ihn noch mal zu sehen. Naomi wälzte sich vor Lachen in ihrem Sessel und sogar ihre Mutter, die kaum Englisch verstand, lachte mit. Die *Marx Brothers* versteht man auch ohne Sprache.

Jedes Mal, wenn Harpo Marx auftrat, griff Naomi nach Alans Arm und fing wieder zu lachen an.

»Alan, Hilfe«, sagte sie, »er ist so wahnsinnig verdreht.«

»Ich kann nicht mehr«, meinte Alan, »ich habe zu viel Kuchen gegessen.«

»Oh, armer Alan, dann lache ich für uns beide.«

Auf dem Heimweg bestellten sie irgendwo Eiscreme-Soda. Alan wollte es dem verrückten Harpo nachmachen und blies durch seinen Strohhalm Luft in sein Soda. Naomi machte gleich mit. Als der Schaum hochstieg und die Gläser zum Überlaufen brachte, erwartete Alan eine Ermahnung der Erwachsenen. Aber Naomis Benehmen schien sie eher zu erfreuen, als sei darin ein Zeichen der Besserung zu sehen.

»Ich habe einen *volcan* von Vanille«, sagte Naomi.

»*Volcan?*«

»*Oui, c'est un volcan vanille.* Was explodiert, macht puff. *Volcan.*«

»Ach so, Vulkan«, sagte Alan.

Der Mann hinter der Theke blickte nun sehr böse und sie stellten die Tätigkeit ihrer Vulkane ein. Stattdessen begann ein Pfefferkrieg, in dem jeder versuchte, dem andern Pfeffer ins Glas zu streuen.

Als Alan Naomis Verteidigung nicht durchbrechen konnte, wandte er sich zu Mr. Liebman und schüttete ihm eine ganze Portion Pfeffer ins Glas.

»Alan«, sagte Mr. Liebman, »tut mir Leid, dass ich dich enttäuschen muss. Zufällig liebe ich Pfeffer auf Eiscreme-Soda. Meins schmeckte so fade und jetzt ist es genau richtig.«

Naomi und Alan lachten, aber in Wirklichkeit bedauerte er seinen Streich. Er wusste, bei Mr. und Mrs. Liebman durfte er sich wegen seiner Helferrolle einfach alles erlauben. Aber er nutzte es aus und es war ihm peinlich.

»Es tut mir Leid«, sagte Alan und war sehr ernst.

Mr. Liebman entgegnete so leise, dass Naomi nichts hören konnte: »Alan, das ist doch gut. Etwas Spaß, etwas Unfug. Du glaubst, ich könnte nicht ein bisschen Pfeffer ... ehem ... Pfeff- ... ehem ... Pfeffer-«

Er musste ganz gewaltig niesen.

»Das Zeug ist doch viel besser, als was nach dem Gottesdienst herumgereicht wird«, fuhr er fort. »Also das ist doch mal wirklich ein richtiger Kirscheiscreme-Soda.« Und zum Erstaunen aller trank er sein volles Glas in einem Zuge aus. Alles in allem war es ein großartiger Abend gewesen.

Aber am Samstag musste Naomi mit ihrer Mutter und Mrs. Liebman wie üblich zu ihrem Arzt in Manhattan fahren. Alan kam sich allein und verlassen vor. Seine Mutter besuchte gerade eine Tante im Krankenhaus, und sein Vater war bei einem Freund

und half bei irgendwelchen Komiteesachen für die Synagoge aus. Die Wohnung war leer. Er ging von Zimmer zu Zimmer und suchte etwas, was er machen könnte. Es war erst halb eins. Naomi würde erst zwischen drei und vier zurück sein.

Er könnte seine Piper Cub überholen. Nein, keine Lust ... Er könnte den ›Hund von Baskerville‹ zu Ende lesen. Wozu? Er hatte den Film gesehen und kannte den Schluss ... Er könnte Hausaufgaben machen. Noch viel zu früh dazu ...

Unten war ein Fußballspiel im Gange und Alan hörte das Geschrei von der Straße. Aber das brachte auch nichts; er konnte mit dem Ball nicht umgehen. Und selbst wenn, würde Condello ihn nicht nehmen, und Shaun ... Er wollte nicht an Shaun denken.

Trübselig saß er im Lehnstuhl und betrachtete die Decke mit ihren Flecken und Rissen, aus denen sich langsam die Gestalt einer Giraffe abzeichnete. Dann schlug er sein Geschichtsbuch auf und las die Namen seiner Vorgänger: Jeanne Marcus, Frederic Klausner, Joseph H. Battista, Robert Denton, Maryann Carmiglia. Alan Silverman. Hinter seinen Namen setzte er nun, als Zeichen der Besonderheit, die Buchstaben »Q. N. Y.« – Queens von New York, und tatsächlich, jetzt stach sein Name als etwas Besonderes hervor.

Er schlenderte durch die Zimmer. Er holte seine versteckte Sammlung von Zeitungsausschnitten mit Bildern verführerischer Filmstars und ging damit ins Badezimmer. Dann holte er sich etwas kaltes Brathuhn aus der Küche. Danach starrte er wieder zur Decke. War doch keine richtige Giraffe. Eher eine

Schildkröte mit überlangem Hals. Oder ein Ungeheuer vom Mars.

Um drei kam seine Mutter zurück und berichtete langatmig von der völlig uninteressanten Gallenblasenoperation seiner Tante. Um halb vier erschien endlich Mrs. Liebman mit großen Neuigkeiten. Während Alans Mutter Kaffee aufsetzte, erzählte Mrs. Liebman, dass der Arzt heute Naomi ab Montag den Besuch der Schule erlaubt hatte.

»Sie ist so glücklich, ihr könnt es euch nicht vorstellen. Alan, du kommst doch nach oben, ja? So eine gute Nachricht. Ich sage euch, ich bin ganz außer mir . . . Ruth, der Kaffee kocht über.«

»Sie ist doch in all meinen Klassen?«, fragte Alan.

»Natürlich«, sagte Mrs. Liebman. »Wir waren zweimal da, haben mit dem Direktor gesprochen. Alles ist vorbereitet. Und du, Alan . . . Du kannst stolz sein. Es ging nur mit deiner Hilfe, glaube mir. Dein Name ist eingeschrieben in das Buch des Lebens. Ich sage dir, Gott sieht alles.«

Alan dachte dabei unwillkürlich an die Bilder seiner Filmstars und ihm wurde leicht schwummrig.

»Aber, Alan«, fuhr Mrs. Liebman fort, »da ist noch eine Sache, um die ich bitte. Tu mir noch einen letzten Gefallen. Geh mit ihr zur Schule. Um zu sehen, dass alles gut geht. Nur für eine kurze Zeit jedenfalls.«

Ihr einen Gefallen tun? Und Naomi? Glaubt sie denn, dachte Alan, ich täte es nicht für Naomi? Das ist ja zum Verrücktwerden. Denkt sie vielleicht, ich tät's wegen ihrer verdammten Schokoriegel?

Als könnte sie seine Gedanken lesen, murmelte Alans Mutter warnend: »Alan . . .!«

Mrs. Liebman war den Tränen nahe. Sie flehte: »Tu es mir zuliebe, Alan . . . Bitte . . .«

Alan sprach langsam und deutlich. »Ihnen zuliebe tue ich gar nichts, Mrs. Liebman –«

»Alan!« Die Stimme seiner Mutter war schneidend.

Er fuhr fort: »Ich habe wegen der Sache einen Freund verloren. Wegen Ihnen hätte ich keinen Freund verloren. Sie haben Freunde. Meine Mutter zum Beispiel. Den ganzen Tag sehe ich Sie mit Leuten reden. Sie haben Freunde genug. Ich nicht . . . Wenn ich was mache, dann mache ich's für Naomi. Klar? Nicht für Sie. Für Sie mache ich gar nichts.«

Mrs. Liebman nickte ein paar Mal, als ob sie zustimmte, und sagte dann: »Ich glaube, ich verstehe . . . ich verstehe . . . Ich danke dir, Alan –«

»Hören Sie auf!«

Schweigend standen sie da, zutiefst erschreckt. Mrs. Liebman schaute zu Alans Mutter herüber.

»Ich weiß nicht«, sagte seine Mutter. »Sein Vater, vielleicht versteht er ihn. Ich wünschte, er wäre hier. Ich weiß nicht . . .«

»Du redest, als wäre ich überhaupt nicht da«, sagte Alan. »Aber ich bin hier. Ich will nicht, dass man mir dankt. Klar? Ich will einfach kein Danke mehr hören. Naomi ist meine Freundin. Nur sie kann mir danken, aber sie tut's nicht, weil sie weiß, dass sie es nicht braucht. Und wenn ihr das nicht versteht, dann tut ihr mir Leid.«

Damit ging Alan auf sein Zimmer, schloss die Tür und knallte sein Kissen mit aller Wucht gegen die

Wand. Erwachsene! Was für ein trauriger Haufen. Verstehen nichts. Naomi hatte mehr Verstand als Mrs. Liebman. Kein Wunder, dass es auf der Welt die ganze Zeit drunter und drüber geht.

27

Am Montagmorgen wartete Naomi mit ihrer Mutter unten im Vorplatz auf Alan. Sie hielt eine neue lederne Schultasche in der Hand. Sie wirkte sehr linkisch. Alan kam herunter und schüttelte den Kopf.

»He, Naomi«, sagte er, »Schultaschen trägt niemand mehr. Das war einmal. Du trägst die Bücher einfach unterm Arm – so, verstehst du?«

»Ukay«, sagte sie. Sie sprach sehr schnell französisch auf ihre Mutter ein, die zu protestieren schien, aber Naomi nahm sich die Bücher und gab ihr die Tasche zurück.

»Also Baby, dann schlagen wir uns mal seitwärts in die Büsche«, sagte Alan.

»Wir schlagen in die Büsche?«

»Erkläre ich dir gleich. Komm!«

Der Weg zur Schule war harmloser, als Alan gefürchtet hatte. Nur ein einziger Junge nahm Notiz von ihnen. Kurz vor der Schule stand Jack Levine, den Alan von der ersten Klasse an verabscheut hatte, weil er den feinen Pinkel spielte. Jack pfiff. Er stieß eine ganze Reihe von Pfiffen aus, die nicht besagten, dass Alan ein Schisser sei, sondern dass er eine

Freundin hatte. Bei dem Gedanken, eine Freundin zu haben, fühlte Alan sich älter, als er war. Und stärker. Ob Jack ihn wirklich beneidete?

»Schicke Biene«, meinte Jack, als sie zum Schulhaus gingen.

»Ach, hau doch ab!«, sagte Alan ganz automatisch.

»Was ist ›Schicke Biene‹?«, fragte Naomi.

»Das heißt . . .« Er zögerte. »Also, es bedeutet, dass er glaubt, dass du, irgendwie, verstehst du, dass du . . . ganz hübsch bist.«

Ihre Augen wurden ganz groß. »Du machst Spaß, *oui?*«

»Nein, wirklich, das bedeutet es.«

»Ich bin nicht hübsch.«

»Klar bist du's.«

»Nein«, sagte sie entschieden. Aber sie wurde ganz rot und schaute Alan an und kicherte.

Im Schulhof mussten sie antreten. Naomi wusste nicht, wohin, aber ein Lehrer deutete auf das Ende der Reihe der siebten Klasse und sagte ihr, sie solle einfach den Mädchen ins Schulhaus folgen.

Alan war froh, dass ihre Englischlehrerin, Mrs. Landley, zugleich ihrer beider Klassenlehrerin war. Er hatte Naomi schon alles von ihr erzählt, auch die Sache mit den Schmetterlingen.

Im Versammlungszimmer der Klasse zeigte Mrs. Landley Naomi ihren Platz. »Also hört mal«, sagte sie, »wir haben jetzt eine Neue in unserer Klasse, ein nettes Mädchen aus Frankreich. Sie heißt Naomi . . .« Mrs. Landley stöberte in ihren Papieren. »Vielleicht spreche ich es falsch aus, das musst du mir sagen. Also, sie heißt Naomi Kirschenbaum.

Richtig? Naomi, dies hier ist das Versammlungszimmer der siebten Begabtenklasse, und nach dem Mittagessen kommst du hierher zur Englischstunde. Ich bin überzeugt, jeder wird mithelfen, dass du dich bei uns wohl fühlst, dass du alles findest, was du brauchst, auch die Toiletten – dreh dich um, Danny Salzman! Toiletten sind nichts Komisches, nicht einmal Shakespeare fand Toiletten komisch – ja und ... wo war ich? Ja, richtig. Also: *Bienvenue,* Naomi.«

Sie strahlte Naomi an, als hoffte sie, Naomi werde jetzt auf Französisch antworten. Aber Naomi saß mit weit geöffneten Augen ganz steif da und hatte die Hände auf der Pultplatte gefaltet.

Ach, du heiliger Strohsack, dachte Alan, kein Mensch in der Oberschule faltet seine Hände auf dem Pult.

Mrs. Landley ging zu Naomi hinüber. »Jetzt hört mal!«, sagte sie schnell. »Wir wollen nun das Geld für den Klassenausflug einsammeln. 25 Cents für jeden. Louise, meine Steuereinnehmerin, treibe die Beiträge ein und hake sie auf der Klassenliste ab!«

Während die Klasse derart beschäftigt war, nahm Mrs. Landley Naomis Hände sanft auseinander und sprach leise auf sie ein. Alan sah, dass sich Naomi sogleich entspannte.

»Also«, verkündete Mrs. Landley, »jetzt wollen wir uns einmal etwas Englisch vornehmen.«

Einer protestierte: »Wir sind doch im Versammlungszimmer.«

»Ich hasse Versammlungszimmer«, sagte die Lehrerin. »Ihr etwa nicht? Was für ein Zeitverlust, und Zeit ist so kostbar. Und zu Ehren unserer neuen

Freundin möchte ich ein paar englische Wörter durchnehmen, die aus anderen Sprachen abgeleitet sind. Wie hoch ist wohl der tatsächlich englische Anteil an der englischen Sprache? Weiß das jemand? Wie hoch? Shaun Kelly?«

Shaun saß missgelaunt auf seinem Platz, das Kinn in einer Hand aufgestützt. Anfangs hatte er auf Alan und Naomi geblickt, aber dann nur noch auf seine Pultplatte gestarrt.

»Shaun, hast du meine Frage gehört?«, fragte Mrs. Landley.

»Eh . . . um die 80 Prozent«, meinte er.

»Will noch jemand raten?« Mr. Landley schaute sich in der Klasse um. »Louise?«

»Keine Ahnung. Ich muss jetzt Geld einsammeln.«

»Oh, das ist richtig . . . Ja? Hältst du die Hand hoch, Naomi? Wie viel Englisch ist wirklich englisch?«

Naomi sagte sehr leise: »Ich glaube nichts, fast. Fast nichts.«

Einige Schüler kicherten.

»Nun, sie hat Recht«, sagte Mrs. Landley. »Englisch ist eigentlich Deutsch, Französisch . . . was noch?«

»Latein!«, rief jemand.

»Griechisch?«, fragte ein Mädchen.

»Natürlich. Und viele andere Sprachen. Unsere Sprache ist ein herrlicher, köstlicher Eintopf. Oder eine Legierung. Weiß jemand, was eine Legierung ist?«

»Ein Haufen Zeugs zusammengemixt?«

»Stimmt. Und die Mischung macht unsere Sprache so kraftvoll, so, wie eine Legierung starke Metalle erzeugt. Das Englische kann gebogen werden und federn wie Stahl. Und zugleich kann es anmutig und sanft sein wie eine Rose. *Une rose,* da habt ihr euer Französisch. Finden wir noch andere französische Wörter in unserer Sprache wieder? Würdest du uns ein paar nennen, Naomi?«

»Oh ...« Naomi zögerte einen Augenblick. »Es sind so viele. ›Report‹ ... ›Garage‹ ... ›Rendezvous‹ ... ›Okkasion‹ ... so viele. Vielleicht, weil Frankreich hat erobert England in die Normannische Invasion. ›Invasion‹ ist auch französisch, *n'est-çe pas?*«

»Und ›normannisch‹ ja auch, wenn man es bedenkt«, sagte Mrs. Landley. »Ja, Wörter wie ›Normannische Invasion‹ weisen uns auf die Kriege hin, die unsere Sprache geprägt haben. Daran hätte ich nie gedacht. Aber es ist schön, einmal etwas in einem neuen Licht zu sehen. Vielen Dank, Naomi. *Merci bien.*«

Naomi senkte den Blick.

Alan war stolz auf sie. Die Klasse war in Bewegung gekommen. Sie hatte sie wach gemacht, dachte Alan. Sie hatte leise gesprochen, aber so klar und genau zum Thema, wie sie es auch zu Hause tat.

Es lief alles glänzend. Naomi gab die richtige Antwort auf eine schwierige Frage in Mathematik. Im Französischunterricht sah Alan mit großem Vergnügen, wie Mr. Florheim, ein unangenehmer, tückischer Quälgeist, sehr sachte mit Naomi umging und möglichst jede Unterhaltung auf Französisch mit ihr vermied. Naomi kannte ihn und seine Stunden schon aus Alans Beschreibungen; sein Französisch war tatsächlich ziemlich schwach und vor Naomi hatte er jetzt Angst.

Auf dem Heimweg kaufte Alan zwei Tüten Erdnüsse und er und Naomi hatten einen Heidenspaß, sie trotz ihrer Bücherlast unter den Armen zu schälen und zu essen.

Weiter vorn gingen Shaun und Tony Ferrara heim. Während Alan und Naomi miteinander lachten, drehte Shaun sich um, wandte sich aber schnell wieder nach vorn, als Alans Blick ihn getroffen hatte. Na, was hältst du denn davon, Kelly, dachte Alan. Denk mal, ich habe genauso viel Spaß mit ihr wie mit dir. Sogar mehr. Was hältst du denn davon?

Aber trotzdem, wenn sie doch nur wieder Freunde werden könnten. Das wäre so toll. Alle drei. Mensch, wäre das toll, zwei Freunde zu haben, zwei gute Freunde.

Ach, wenn doch nur . . .

28

An diesem Abend machten sie ihre Hausaufgaben zusammen, und zwar am großen Esstisch in Alans Wohnung. Naomi half zuerst Alan bei Französisch. Das war eine ganz andere Sache als Mr. Florheims harte Aussprache. Bei Naomi flossen die

Sätze harmonisch zusammen, ihr Französisch war wie Musik.

Sie machten dann Englisch, die Mathe-Aufgaben blieben für ganz zuletzt. Sie sollten eine kurze Charakterbeschreibung von einem Freund oder Verwandten machen. Alan schrieb zunächst über seine Mutter, hielt aber inne, als Naomi beim Schreiben anfing zu kichern.

»Was ist denn so komisch?«, fragte er. »Du schreibst wohl über einen der *Marx Brothers* oder so etwas?«

»*Non.* Ich schreibe über dir. Oder dich.«

»Über mich? Das kannst du nicht machen.«

»*Pourquoi pas?* Du bist Freund. Ich schreibe über dich.«

»Also schön. Dann schreibe ich aber auch über dich.«

Eine Weile schrieben sie schweigend. Dann kicherte Naomi wieder und Alan schaute auf.

»Bei mir wird's nicht so komisch.«

»Du wirst sehen. Später, ich lese laut vor, ukay? Und du liest meines.«

»Gut. Aber bei mir wird's nicht so komisch.«

Während sie schrieben, wurde es Alan immer klarer, dass sie sich über ihn lustig machte. Was er geschrieben hatte, radierte er aus und kritzelte schnell einen neuen Text. Er würde es ihr schon geben. Wart nur, bis du das liest, Naomi, dachte er, wart nur.

Als sie fertig waren, nahm Naomi Alans Blatt und schaute einen Augenblick darauf. Sie runzelte die Stirn.

»Ich kann deine Handschreiben nicht lesen.«

»Meine Handschrift.«

»*Oui, oui, oui.* Ukay. Ich versuche. ›Naomi ist zwölf Jahre alt. Sie hat schwarzes Haar . . .‹ *Non,* mein Haar ist braun. ›. . . schwarzes Haar und braune Augen und ist etwa 1,60 groß. Sie ist das blödeste Mädchen, das ich kenne . . .‹ Oh, warte nur. ›. . . und albern ist sie auch. Sie kichert, wenn sie schreibt, und bekommt Schluckauf.‹ . . . *Je ne comprends pas.* Was ist Schluckauf?«

»Wenn du hick . . . hick . . . hicks machst.«

»Ah. *Hoquet.* Französisch ist *hoquet.* . . . ›bekommt Schluckauf die ganze Zeit. Sie bürstet sich die Zähne mit der Haarbürste.‹ Das ist nicht nett. ›Sie wird rot, wenn man sagt, dass sie hübsch ist . . .‹ Ist nicht wahr. ›. . . und sie sagt immer Sachen verkehrt herum, weil sie ein auf dem Rücken liegendes Stück Kuchen ist, das sich als Mädchen tarnt. Sie möchte auch gern . . .‹ Ha, das lese ich nicht.«

»Du musst. Das Vorlesen war abgemacht. Oder?«

»Es ist gemein. ›Sie möchte auch gern alle Jungen in der Klasse küssen, aber sie macht es nicht, weil sie sich totkichern würde und den Schluckauf bekommt.‹ Du bist gemein. ›Alles zusammengenommen ist Naomi ein blöder, alberner, kichernder, auf dem Rücken liegender Kuchen mit schwarzem Haar und braunen Augen.‹ Aber mein Haar ist braun! Und du – du bist ein – ein Kohlkopf.«

»Das ist das Netteste, was ich von dir gehört habe.«

»Jetzt lies meines. Da – Kohlkopf!«

Alan nahm ihr Blatt. »Also, wollen mal sehen . . .«

Es geht los. »Ich traf Alan Silverman im Flur. Ich hatte Angst vor ihm, viel Angst, denn er hatte einen Stock. Ich habe Angst vor Stocke. Ich habe Angst vor viel. Aber ich bin seine Freundin geworden und ich habe keine Angst mehr. Französisch sagt man: *ami de cœur*. Ein guter Freund. Ein Freund des Herzens.‹ . . . Naomi, wieso hast du gekichert? Ich dachte, du machst dich lustig –«

»Lies, Kohlkopf!«

»›Ein Freund des Herzens. Wenn ich einen Bruder hätte, ich würde wünschen, dass er wie Alan ist. Denn ein Bruder muss lieb sein und Alan ist lieb.‹ Naomi, es . . . es tut mir Leid –«

»Lies weiter!«

»›Er kann gut Flugzeuge fliegen und Aufgaben machen . . .‹ Da bist du aber besser! – ›. . . und Baseball spielen und Lieder lernen. Aber das ist nichts. Aber es ist etwas, dass er mir zum Lachen bringt, wenn ich in mich weine. Wie mein Vater, so ist es . . .‹ Oh, Naomi. ›Und ich habe ihn sehr gern. Der Aufsatz ist zu Ende, denn alles ist gesagt.‹«

Naomi riss ihm das Blatt aus der Hand. »Siehst du, Kohlkopf. Ich kann nett sagen, was ich denke. Nicht wie du.«

»Ich hab doch nur Spaß gemacht . . . Ich, weißt du . . . Ich meine, Naomi, ich habe dich auch gern . . . weißt du.«

»Oui«, sagte Naomi und starrte auf das Blatt in ihrer Hand. Alan empfand eine große Leichtigkeit, so, als hätte er seine Piper zum Fliegen hochgehalten und sich gleich mit in die Lüfte geschnellt. Ob sie wohl auch diese Leichtigkeit empfand? Sie war so still.

»Naomi, du weißt, das kannst du der Lehrerin nicht abgeben. Das kannst du nicht.«

»Oh, ich schreibe nicht für Mrs. Landley. Ich schreibe es für dich. Hier. Du kannst es haben.«

Alan nahm das Blatt und faltete es sorgfältig zusammen.

»Ich nehme deines«, sagte Naomi und faltete Alans Blatt zusammen.

Alan protestierte. »Aber meins taugt doch nichts.«

»Doch, doch. Ist sehr schön. Ist so, wie du manchmal sprichst. Jetzt müssen wir noch mal schreiben. Ich glaube, ich schreibe über meinen Arzt. Er ist ein netter Mensch und ein strenger Mensch. Ich versuche.«

Bevor er zu Bett ging, las Alan noch zweimal hintereinander, was Naomi über ihn geschrieben hatte. Aber eine Viertelstunde später machte er das Licht an, stand auf und las es abermals.

29

Bis Freitag ging alles gut. Ein paar Mädchen in der Schule hatten Naomi gleich in ihre Gruppe aufgenommen und mit ihnen ging sie täglich mittags essen. Alan beobachtete sie von einem weiter entfernten Tisch, und als Naomi plötzlich auflachte, war es ihm, als lachten sie beide zusammen. Jeden Tag wurde sie unabhängiger von ihm und so war es ja auch gut. Alles verlief reibungslos. Bis Freitag. Als sie Freitag früh zusammen zur Schule gingen, tauchte plötzlich Joe Condello hinter ihnen auf.

»He! Sieh mal an. Jetzt haben wir ja zwei Juden.«

Naomi drehte sich um. Sie sah Joes Gesicht, wirbelte herum und schritt schnell aus. Aber Joe holte sie ein.

»He, Jud!« Er versperrte ihr den Weg. »Ich höre, ihr seid ein Paar. Stimmt das, Silverman? Ich höre, ihr dreckigen Juden dreht alle möglichen dreckigen Dinger.« Jetzt sprach er direkt zu Naomi. »Und deswegen rottet euch Hitler auch aus.«

Wie auf einen Knopfdruck hin, automatisch und ohne nachzudenken, ließ Alan die Bücher fallen, stürzte sich auf Joe Condello und ließ seine Faust in dessen Gesicht krachen, und Joe ging zu Boden. Condello umfasste Alans Beine und brachte ihn auch zu Fall. Alan verschwamm alles vor Augen, als er sich strampelnd wand und umdrehen wollte, um Joe fassen zu können. Ein Faustschlag auf seinen Mund betäubte ihn fast. Sein Kopf knallte auf den Steinboden. Er konnte nichts mehr sehen.

»Renn, Naomi!«, schrie er. »Zur Schule. Zur Schu-«

Wieder traf ihn die Faust auf den Mund und jetzt war er voller Blut. Sein Gesicht, sein Hemd, die Straße, der Himmel, alles schien wie in Blut getaucht.

Er schlug wild auf Joe ein und versuchte ihn im Gesicht, auf der Brust, im Magen zu treffen. Für den Bruchteil einer Sekunde sah er Naomi zwischen zwei Schlägen. Sie rief: »*Maman!* . . . Gestapo! Gestapo! Blut. *Maman!* Blut.«

»Lauf! Lauf!«, brüllte Alan. »Los, lauf weg!«

Joe war jetzt über Alan und stieß dessen blutiges Gesicht gegen den Steinboden. Joe war zu schwer, Alan konnte ihn nicht abschütteln. Er war in der Falle.

»NAOMI! LAUF!«

Ja, jetzt rannte sie los, sie rannte nach Hause. Gott sei Dank, dachte Alan, Gott sei Dank!

Joe schlug Alan ins Genick. Ich muss freikommen, dachte Alan, ich muss aus diesem Griff heraus. Ein weiterer Schlag traf ihn auf den Hinterkopf – und alles wurde undeutlich und grau.

Was ist jetzt los? Warum ließ Joe plötzlich von ihm ab? Was ist passiert?

Shaun.

Shaun tänzelte um Joe herum. Der drahtige Shaun, tänzelnd. »O. K., Condello. Hier kommt ein Vögelchen, jetzt pass auf!«

Und er schlug zu. Faustschläge, schnell, sauber und scharf wie Blitze, Treffer, die »knack« machten, wie Holz auf Holz. Alan riss sich zusammen um auf die Beine zu kommen. Da lag ein Zahn in all dem Blut. Alan drückte sich die Kiefer auseinander und fühlte nach. Da war eine Menge Blut, aber keine Zahnlücke. Es war ein Zahn von Condello. Alan konnte es kaum fassen: Er hatte Joe Condello einen Zahn ausgeschlagen.

Condello lief. Shaun holte ihn ein und schlug ihn seitwärts ins Gesicht, aber Condello raste zu seinen Freunden in der Ferne. Shaun drehte sich um und kam zurück.

»Du saudummer Saftsack«, sagte Shaun, »mach,

dass du nach Hause kommst. Du bist voller Blut. Kommt dir ja noch aus dem Mund raus.«

»Geht nicht«, sagte Alan. »Meine Mutter ... so kann ich nicht nach Hause ...«

Shaun zog seinen Pulli aus und gab ihn Alan. »Hier, beiß mal in den Ärmel. Beiß richtig rein. Also hör mal, wir können zu mir, meine Mutter ist nicht zu Hause. Los, du Saftsack, du alter Blödmann, du.«

Zusammen gingen sie heim und Alan drückte sich den Pulli auf das Gesicht, um das Blut zu verbergen. Shaun hatte die Bücher eingesammelt und mühte sich Schritt zu halten.

»He, nimm mal Gas weg«, sagte er. »Langsamer. Ich muss diese ganze lausige Bibliothek hier schleppen und du brauchst nur Blut abzulassen. Mach langsam, verdammt!«

Sie erreichten tatsächlich Shauns Wohnung ohne von Nachbarn gesehen zu werden. Alan rannte zum Waschbecken im Badezimmer und wusch sich unter Strömen eiskalten Wassers ab. Er hatte noch in Erinnerung: bei Blut nur kaltes Wasser.

Es kam immer noch Blut aus dem Mund, aber es wurde weniger. Er sah sich im Spiegel an. Die Oberlippe war geschwollen, ebenso die Umgebung des linken Auges, und auf einer Backe zeugten Blutergüsse von dem heftigen Zusammenstoß mit dem Straßenboden.

»Weißt du, siehst ja richtig süß aus«, sagte Shaun, »als hätte dir Joe Louis gerade eine Schönheitsmassage verpasst. Das wirst du vor deiner Mutter doch nicht geheim halten wollen, Silverman?«

»Wahrscheinlich weiß sie es jetzt sowieso. Naomi

hat's sicher der Liebman erzählt, und die erzählt alles meiner Mutter.«

»Du hast ja Glück, dass Freitag ist. Das würde mich vielleicht fertig machen, mit so einem Kopf morgen in die Schule zu müssen. Lieber Mann, hat der dich in der Mangel gehabt.«

Alan holte den Zahn aus der Tasche und schwenkte ihn vor Shaun.

»Deiner?«, fragte Shaun.

Alan riss seinen Mund ganz weit auf um zu zeigen, dass er komplett war.

»Seiner!«, rief Shaun aus. »Mensch. Ich habe in meinem Leben noch keinem einen Zahn ausgeschlagen.«

»Weil du nämlich ein Schisser bist«, sagte Alan. Beim Sprechen tat ihm der Mund noch weh. Er drückte einen Waschlappen auf die Stelle, die noch blutete.

»So? Dafür schlag ich dir jetzt einen aus, Silverman.«

»Verkauf dir den für einen Dollar.« Alan hob den Zahn in die Höhe.

»Lass mal sehen«, sagte Shaun. Er prüfte den Zahn und sein Blick verriet Abscheu. Er gab den Zahn zurück und sagte: »Das ist er nicht wert.«

»Na schön«, meinte Alan, »75 Cents.«

»Lieber schlag ich dir einen aus. Deine sind sauberer . . . He, willst du nicht meinen Pulli waschen, Silverman? Der ist ganz verdreckt von diesem nachgemachten Ketchup, den du von dir gibst, wenn du verlierst.«

Shaun und seine verrückte Schimpferei, die wie

ein Händedruck war. Wie eine Friedenspfeife. Sie waren wieder Freunde. Plötzlich. Einfach so. Als wäre nichts gewesen. Alan wollte irgendetwas sagen um Shaun zu zeigen, wie großartig er ihn fand. Aber was?

»He, Shaun . . .«

»Was?«

»Ah . . . Hier ist dein Pulli.« Er schlug ihm den klatschnassen Pulli um die Ohren.

»Und wofür?«

»Heißt einfach danke für den Pulli . . . und so weiter.«

Shaun schleuderte den Wasser sprühenden Pulli zu Alan zurück. »Heißt einfach bitte sehr . . . und so weiter.«

Sie waren Freunde. Wohlige Wärme stieg in Alan auf, so, wie es einmal nach einer langen Reise gewesen war, als er wieder sein Zimmer betrat. Alles war unverändert.

Er betrachtete sich noch einmal im Spiegel. Das Bluten hatte aufgehört, aber sein Gesicht war eine geschwollene Masse voller blauer Flecken, sein Hemd zerrissen und blutbefleckt. Schlimm. Was würde seine Mutter wieder denken? Und Naomi.

Naomi! Es drängte ihn, sie zu sehen und zu wissen, dass alles in Ordnung war. Auch um ihr zu zeigen, wie er sie beschützt hatte und dafür grün und blau geschlagen worden war. Der Zahn war für sie. Er hatte ihr gesagt, sie könnte sich auf ihn verlassen, und jetzt hatte er es bewiesen.

»Ich gehe jetzt rauf«, sagte Alan. »Gehst du in die Schule?«

»Ich? Nach meinen Heldentaten habe ich einen Ruhetag verdient«, antwortete Shaun. »Nur Condello, den hätte ich gern mal ohne Zahn gesehen. Hm . . .«

Er warf eine Münze hoch, fing sie und klatschte sie sich auf den Handrücken. »Verloren«, sagte er. »Werde mal zur Schule gehen. Wenn mich jemand fragt, sage ich, dich hat ein Zebra gebissen.«

»Sag gar nichts.«

»Keine Sorge. Mir fällt schon was ein. Zum Beispiel: Du bist in einen Gully gefallen und dein Fallschirm ging nicht auf.«

»Danke vielmals.«

»Bitte sehr.«

Es ist besser, dachte Alan, ich gehe erst zu mir und danach zu Naomi. Er rannte hoch, zögerte aber vor der Wohnungstür. Er konnte nicht. Er konnte einfach nicht. Was würde seine Mutter machen? Würde sie schreien? Oder ohnmächtig werden? Oder beides? In dieser Verfassung war er noch nie nach Hause gekommen. Vorsichtig machte er die Tür auf. Er hörte, wie Mrs. Liebman in der Küche mit seiner Mutter sprach. Sie redeten über Lebensmittelmarken. Der Metzger verwendete die verbrauchten Fleischmarken noch einmal, das war doch ungesetzlich. Offenbar hatte Mrs. Liebman noch nichts von dem Kampf gehört. Umso besser, dann konnte er ihnen selbst davon berichten, und zwar in aller Kürze, um schnellstens zu Naomi hinaufzugehen. Vielleicht hätte er das doch sofort tun sollen.

Alan stand in der Küchentür. Seine Mutter starrte ihn wortlos an.

»Bin zu Hause«, sagte er und lud seine Bücher auf dem Küchentisch ab.

»Das sehe ich«, sagte seine Mutter. »Was ist passiert? Erzähle! Schnell!«

Das war erstaunlich ruhig, so kannte er seine Mutter gar nicht. Wie kam das? Wieso war sie bei so einer Sache so gefasst, aber ganz außer sich, wenn er mit rotem Gesicht nach Hause kam? Alan wurde nicht schlau aus ihr. Sie war immer dann am besten, wenn er das Schlimmste von ihr erwartete.

»Was ist, Alan?«, fragte sie ungeduldig.

Alan erklärte alles, etwas unzusammenhängend und verworren, und hielt den Zahn seines Sieges in die Höhe.

»Widerlich«, sagte seine Mutter. »Wie kannst du so etwas bei dir behalten? Seine Eltern verklagen uns vielleicht.«

»Er hat angefangen.«

Seine Mutter nickte. »Also . . . er hat dich beschimpft? Dreckiger Jude?«

»Viel schlimmer. Er hat gekriegt, was er verdient hat.«

»Er? Sieh dein Gesicht, Alan. Sieh, was du gekriegt hast!«

»Das geht weg. Aber der Zahn wächst ihm nicht nach.«

Seine Mutter blickte auf den Zahn in seiner Hand und nickte abermals. »Du hast Recht«, meinte sie.

»Mein Hemd ist zerrissen«, sagte Alan.

»Du bekommst ein anderes Hemd«, entgegnete seine Mutter. »Halte dir Eis auf die Lippe, sonst schwillt sie wie ein Ballon.« Sie drehte sich zu Mrs.

Liebman um. »Was soll ich machen? Wenn jemand ›Du dreckiger Jude‹ sagt, dann schlage ich auch zu. Aber richtig.«

»Kann ich jetzt rauf zu Naomi?«, fragte Alan. »Es hat sie alles sehr erschreckt.«

»Sie ist in der Schule, nein?«, fragte Mrs. Liebman.

»Ich hab's doch gesagt«, antwortete Alan. »Sie sah uns kämpfen und rannte dann nach Hause. Ist sie nicht oben?«

»Oben? Natürlich nicht«, sagte Mrs. Liebman. »Ich bin vor fünf Minuten heruntergekommen. Sie ist in der Schule.«

»Aber sie rannte nach Hause.«

»Ich rufe an.« Mrs. Liebman ging zum Telefon und rief die Wohnung oben an. Sie sprach jiddisch mit Mrs. Kirschenbaum.

»Sie ist nicht da.« Mrs. Liebman war beunruhigt. »Ich rufe die Schule an.«

Nach diesem zweiten Anruf setzte sie sich kopfschüttelnd und stöhnte leise vor sich hin: »Oi Gott, oi Gott ...«

»Hört auf mit ›Oi Gott‹. Am besten suchen wir sie, je eher, je besser«, sagte Alans Mutter. »Wir fangen bei den Nachbarn an, ja?«

Wenn nicht nach Hause – wohin kann sie denn gelaufen sein? »Gestapo« hatte sie gerufen und irgendwas mit »Blut«, das hatte er ganz vergessen zu erwähnen.

Gestapo ... vielleicht hat sie gedacht, sie müsse vor der Gestapo fliehen. Sicher war es so. Aber hat sie denn nicht gesehen, dass das hier etwas anderes war? Das Blut, dachte Alan, das war es wohl. Wie das

Blut ihres Vaters. Es war alles Condellos Schuld. Nein, nein, Condello war nicht schuld. Hitler war schuld. Vielleicht beide. Ja, beide.

Er musste sie finden. Sie war allein.

30

Freitagabend. Der Zeitpunkt, an dem Alans Mutter die Sabbat-Kerzen anzuzünden pflegte, war vorübergegangen; Naomi war noch nicht gefunden worden. Vor den »Eichenterrassen« stand ein Streifenwagen, aus dem Radio knatterten geisterhafte Stimmen. Eine Menschenmenge hatte sich angesammelt um zuzusehen, wie die Polizei das Dach, den Keller und die Nachbarhäuser absuchte. Einen Block weiter stand ein weiterer Streifenwagen vor Condellos Haus. Aber die Polizisten waren überzeugt, dass Joe nichts von Naomi wusste; er war den ganzen Tag in der Schule gewesen.

Shaun war nach der Schule heimgerannt um Alan von seinem Sieg zu berichten. Joe hatte von dem ausgeschlagenen Zahn kein Wort gesagt. Gesprochen hatte er mit fast unbewegten Lippen, im Mund einen Pfropf aus einem zerrissenen Taschentuch.

Alan hatte kaum zugehört. Was heißt schon Sieg, wenn Naomi vermisst wird. Condello war es nicht wert, dass man einen Gedanken an ihn verschwendete.

Shaun hatte mitten in seinem Bericht innegehalten, als er von Naomis Verschwinden erfuhr. »Keine Sorge, die finden wir schon«, hatte er gesagt. Aber jetzt, am Abend, nachdem sie sich immer wieder versichert hatten, nun müsste sie jede Minute gefunden werden, jetzt glaubten sie selbst nicht mehr daran.

Als es dunkel wurde, fing Mrs. Kirschenbaum an unbeherrscht zu schluchzen. Mrs. Liebman und Alans Mutter führten sie behutsam nach oben um sie zu beruhigen. Alans Vater, kaum von der Arbeit heimgekommen, klapperte mit Mr. Liebman alle Häuser der benachbarten Straßen ab, stellte Fragen, schaute sogar unter parkende Autos.

Aber Alan wusste, es war hoffnungslos. Wenn sich jemand in New York ernstlich verstecken wollte, konnte er alle Spuren verwischen. Sinnlos, sich da etwas vorzumachen.

Wohin würde sie sich wenden? Sie kannte ja kaum etwas ... Da fiel ihm Holmes Airport ein. Den kannte sie. Es war nicht ausgeschlossen, dass sie den ganzen Weg dorthin gelaufen war.

»He, Shaun, ich habe gerade an Holmes gedacht. Ich war mal mit ihr dort, du weißt ja. Was meinst du?«

»Weiß nicht. Kann sein. Sag's dem Polizisten.«

»Soll ich?«

»Klar, Idiot.«

»O. K., Freund, spring hinten rein«, sagte der Polizist, als ihm Alan von seiner Vermutung erzählte. »Wir drehen da mal 'ne Runde ...« Er rief einem Kollegen zu: »He, Danny, kleiner Abstecher nach Holmes, steig ein!«

»Darf er mitkommen?«, fragte Alan zaghaft und deutete auf Shaun.

»Na klar, bring die ganze Bande, wir machen ’ne Party.«

Shaun zwängte sich auf den Rücksitz neben Alan, bevor der Polizist noch etwas sagen konnte.

Als Alan die starren Blicke der Umstehenden sah, wurde ihm klar, dass er jetzt in ihren Augen als verhaftet galt, und mit der geschwollenen Lippe und den Blutergüssen im Gesicht sah er ja auch wie ein Verbrecher aus.

Der Fahrer sprach ins Mikrofon: »Hier spricht 1803. Prüfen neue Spur. Ein Junge meldet, die Vermisste kannte den Weg zum alten Holmes-Flugplatz. Fahren 94. Straße und dann Nördlichen Ring. Ende.«

Der Streifenwagen fuhr langsam und der Polizist auf dem Beifahrersitz richtete einen Scheinwerfer in die dunklen Straßen. Shaun und Alan schauten angestrengt dem Lichtstrahl nach, um noch dahinter die Finsternis zwischen Bäumen und Häusern zu durchdringen; Naomi konnte überall sein.

Am Flugplatz rollte der Wagen über den Straßenrand auf das Brachland und zur Landebahn, die sie auf und ab fuhren. Der Scheinwerferstrahl glitt über den Boden wie ein Fernrohr aus gebündeltem Licht, das wechselnd auf Ferneres und Näheres gerichtet wurde.

Die Räder knirschten im Kies, wenn der Wagen über Abflussrinnen holperte. Sie suchten eine halbe Stunde lang alles ab – ohne Erfolg.

»Mist«, sagte der Polizist namens Danny. »Ist ja ’n Glück, dass heute Nacht kein Luftalarm geprobt wird, da hätte sie komplett durchgedreht. Was ist los mit ihr? Verrückt geworden durch den Krieg, was?«, fragte er Alan.

»Sie ist nicht verrückt«, sagte Alan.

»In dem Bericht, den wir haben, steht, sie ist irgendwie gestört. Wer ist sie – Freundin von dir?«

»Ja«, bestätigte Alan.

»Von uns beiden«, ergänzte Shaun.

»Hört mal, ihr zwei, haltet euch die Spinner vom Leib. Ich rate euch gut: Haltet euch da raus. Bevor ihr's merkt, seid ihr nämlich selber verrückt.« Er griff sich das Mikrofon. »1803. Holmes ohne Ergebnis. Fahren zurück. Ende.«

Alan fühlte, wie seine Stimme vor Angst zu beben drohte, aber er zwang sich es auszusprechen: »Sie ist meine Freundin ... und wenn sie verrückt ist ... dann möchte ich lieber sein wie sie.«

»Was?«, fragte der Polizist. »Kapier ich nicht.«

Lieber wie sie als wie du, ergänzte Alan seinen Satz in Gedanken.

Der andere Streifenwagen vor den »Eichenterrassen« war schon abgefahren und die Menge hatte sich bis auf ein paar Schaulustige aufgelöst. Die Polizei hatte die Vermisstenanzeige registriert. Mehr könnten sie in der Nacht nicht tun, sagten sie.

Alan stand mit Shaun vor dem Haus und fröstelte in der kühlen Luft. Er sah seinen Vater und Mr. Liebman die Straße herunterkommen; sie suchten immer noch mit seiner Taschenlampe unter Autos und in Gebüschen herum.

»Nichts«, sagte sein Vater, als sie bei Alan ankamen, und Mr. Liebman schüttelte nur den Kopf.

Die vier standen schweigend zusammen und

wussten nicht weiter. Außer ihnen war die Straße jetzt leer.

»Alan, am besten gehst du jetzt ins Bett«, sagte sein Vater. »Es ist fast elf. Und dein Freund auch.«

»Ich gehe erst, wenn wir sie gefunden haben«, erwiderte Alan.

»Da kannst du die ganze Nacht warten. Vielleicht sogar Tage. Wer weiß, wo sie ist«, meinte Mr. Liebman.

»Gerade vier Mann hat die Polizei geschickt«, sagte Alans Vater grimmig. »Ein Kind wird vermisst, und da kommen zwei Wagen für ein paar Stunden.«

»Hört mal«, sagte Mr. Liebman. »Jeder Polizist in der Stadt weiß Bescheid. Die passen doch auf, glaubt mir.«

»Quatsch«, sagte Alans Vater. »Ja, wenn's die Tochter eines Millionärs ist oder die Tochter von einem berühmten Schauspieler, dann passen sie auf. Aber die Tochter von einem Flüchtling – ohne Geld, ohne Beziehungen? Das könnt ihr vergessen.«

So bitter hatte Alan seinen Vater noch nie gesehen. Aber er wusste, dass sein Vater wahrscheinlich Recht hatte. Das interessierte keinen. Eine von vielen Vermissten. Oder, wie sein Vater oft sagte: ein Posten in der Statistik.

Plötzlich kam Alans Mutter über den Vorplatz auf sie zugestürzt. »Alan, komm mit! Alan, schnell! Komm mit!«

Alan folgte seiner Mutter zur Treppe in den Keller. Die eiserne Kellertür stand offen und Alan erkannte unten in dem düsteren Licht Mrs. Liebman, Naomis Mutter und Mr. Finch. Sie schauten alle auf einen großen Kohlenhaufen, der neben dem Heizungsofen aufgeschichtet war. Davor kauerte Naomi, von oben bis unten voller Ruß.

»Finch hat sie gefunden, unter einer Lage Kohlen«, flüsterte seine Mutter. »Er hat gerade vor ein paar Minuten die Kohlen da weggeräumt. Alan, sprich mit ihr. Sag etwas!«

In dem Halbdunkel waren nur ihre Augen klar zu sehen. Ihr Gesicht, unter einer Kruste Kohlenstaub und fettem Ruß, war ganz starr wie eine dieser scheußlichen Medizinmann-Masken, die Alan im Völkerkundemuseum gesehen hatte. Nur ihre Augen waren da.

»He, Naomi ... Bin wieder in Ordnung. War nur 'ne kleine Rauferei. Nichts Besonderes. Komm, steh auf, Naomi!«

»Enterrez les morts ...«, stieß sie hervor. *»Oui, oui, oui ... enterrez les morts.«*

Das war eine andere Stimme. Nicht die von Naomi, nicht die von Yvette. Eine Stimme wie Eis. Oder Metall. Alan fühlte, wie die Angst ihm den Atem abschnürte.

»Enterrez les morts ...«

Mrs. Liebman flüsterte Mrs. Kirschenbaum auf Jiddisch etwas zu und Mrs. Kirschenbaum flüsterte zurück. Dann erklärte Mrs. Liebman leise: »Sie sagt: ›Begrabt die Toten‹ ... Oi Gott, Gott ...«

»Naomi, bitte!«, sagte Alan. »Ich bin Alan. Kennst mich doch. Naomi, ich lebe. Du lebst ... Naomi, hör zu! Ich bin Alan, dein Freund.« Lass es doch gut gehen, betete Alan, lass es doch gut gehen.

»Enterrez les morts et fermez la porte. Oui, oui ...«

Das verstand Alan jetzt: Begrabt die Toten und schließt die Tür. »Naomi, bitte ... ich will doch am Montag mit dir in die Schule gehen –«

Naomi schnellte herum und sprang auf den Kohlenhaufen und wollte sich mit ihren Händen dort wieder einwühlen. Ihre Mutter und Mrs. Liebman gingen zu ihr und führten sie mit gutem Zureden und sanfter Gewalt zur Treppe hinter der Kellertür. Als Naomi an Alan vorbeiging, wisperte sie, als ob sie ein schreckliches Geheimnis preisgäbe: »Schicke Biene ... *enterrez les morts* ... Schicke Biene ... *enterrez les morts* ...«

Alan hielt den Atem an. Dieses Mädchen, das sie da vorbeiführten, das da flüsternd die Treppe hochstolperte, war etwas Fremdes. Ein mechanischer Apparat. Ein zerbrochenes Spielzeug.

Alan dachte: Wie ist das möglich? Naomi ist nicht mehr da. Verschwunden. Wie ein Licht im Zimmer, das ausgeht.

31

Es war an einem Sonntag in der zweiten Novemberhälfte. Es kam einem vor, als müsste der Bus von Flushing nach Hollis an jeder Ecke halten. Im Bus saßen Alan und sein Vater; schweigend schauten sie zum Fenster hinaus. Alan hatte eine große Papiertüte auf dem Schoß.

Vor einer Mauer mit einem schmiedeeisernen Tor stiegen sie aus. Auf einer Metalltafel neben dem Tor stand: WISEMANHEIM – 1907. Sie gingen zum Hauptgebäude, einem roten Backsteinbau.

Die hellblau gekleidete Frau vom Empfang sprach leise und deutete nach draußen auf eine weiträumige Rasenfläche. Wie zur Bestätigung wiederholte Alans Vater die Armbewegung. Er und Alan schritten wieder in die Novembersonne hinaus. Für November war es warm. Der Sommer war wie ein von Unruhe geplagtes Gespenst zurückgekommen und wandelte zwischen lauter Baum- und Buschgerippen.

Einige Kinder saßen auf Bänken, die meisten von ihnen schauten zu Boden. Bei ihnen waren Schwestern in der hellblauen Uniform.

Sie sahen Naomi in ihrer grünen Strickjacke auf einer entfernteren Bank. Neben ihr saß eine Schwester und las ein Buch. Als sie näher kamen, sah Alan, dass sich ihre Hände bewegten. Pausenlos bewegten sie sich und zerrissen die leere Luft. Tränen stiegen in Alan auf; mit leichtem Zupfen bat er seinen Vater anzuhalten. Zu warten. Nur einen Augenblick zu warten. Alan blinzelte, der Abglanz der Sonne schimmerte am unteren Rand seiner Augen.

Er musste ein paar Mal schlucken. Dann gab er seinem Vater ein Zeichen und sie gingen zu Naomi.

»He, Naomi, sieh mal, wer da ist.«

Charlie kam aus der Papiertüte heraus und sprach mit Naomi: »He, wo ist denn meine Freundin Yvette? Sie soll bei dir im Zimmer sein. Kann man sie besuchen? Sie ist nämlich eine tolle Freundin von mir.«

Ihre Hände waren unaufhörlich in Bewegung und sie starrte nur auf ihre Hände. Die Schwester deutete auf die Handpuppe und flüsterte ihr etwas zu.

Alan brachte Charlie näher an Naomi heran. »He, Yvette. *Je suis ici. Je m'appelle Charlie, et je t'aime.* He, Yvette, komm, wir spielen zusammen! O. K.?« Er sehnte sich danach, Naomi »Ukay« sagen zu hören wie früher.

Naomi schaute nicht einmal auf. Ihre Finger zerrissen die Luft, rissen sie in winzige Stückchen, die sie rings um sich fallen ließ wie Blätter im Herbst.

Alan rückte so nahe heran, dass er den Duft von Naomis Strickjacke riechen konnte, diesen Pfefferminzduft aus dem Kleiderschrank. Sein Vater trat etwas zurück und wandte sich ab, er konnte oder er wollte nicht mehr hinsehen.

»Naomi, ich bin's, Alan. Naomi, sag doch etwas, bitte!«

Die Schwester schüttelte den Kopf. »Das hat keinen Zweck. Sie spricht mit niemandem. Tut mir Leid, aber es ist einfach zwecklos. Sie sagt keinen Ton. Nicht einmal zu mir. Nicht einmal zu ihrer Mutter.«

Alan sah Naomi noch einmal an, sah das Haar, das ihr ins Gesicht hing, ihre Augen, so groß und schwarz, die Zungenspitze zwischen ihren Lippen, die sich eifrig mitbewegte, während sie die Luft in Fetzen riss. Er zwang sich ruhig zu scheinen, aber in seinem Innern war alles in Aufruhr. Sie haben es doch geschafft! Sie haben sie erwischt! Die Nazi-Schweine. Genauso gut hätten sie sie verladen können! Genauso gut hätten sie sie umbringen können!

Alan fuhr mit den Fingerspitzen kurz über ihren Jackenärmel. Dann drehte er sich ruckartig um, sein Vater auch, und sie gingen zur Haltestelle.

Der Bus schlängelte sich durch die verschiedenen Verkehrszentren. Alan schwieg. Sein Vater wollte einen Arm um ihn legen, aber Alan zuckte zurück und starrte zum Fenster hinaus.

»Hör mir mal eine Minute lang zu«, sagte sein Vater. »Was auf der Welt geschieht – es geschieht nicht durch dich oder mich. Wir tun, was wir können. Und mehr kann man nicht tun. Danach ist es, wie wir sagen, in Gottes Hand. Naomi ist jetzt in Gottes Hand. Du bist nicht Gott. Du bist Alan. Du hast getan, was du kannst. Aber es ist nicht zu Ende damit. Eines Tages wirst du sehen, dass ich Recht hatte. Dann ist Hitler tot. Aber Naomi lebt dann. Geheilt, glücklich. Sie braucht Zeit. Sie hat jetzt Zeit. Glaub mir nur, sie wird geheilt . . .«

Alan biss sich auf die Lippen um nicht in den Bus zu schreien: *Schweig doch! Hör auf mit Glaub-mir-nur! Ich glaub's nämlich nicht. Sie haben sie erwischt und du weißt es.* Er drückte die Stirn gegen die Scheibe, dass es weh tat.

Zu Hause sagte Alan seinem Vater, er ginge noch ein bisschen weg. Er nahm seine Piper Cub, *l'oiseau jaune,* und wanderte langsam zum Holmes-Flugplatz. Bei der Landebahn setzte er sich und schaute dem Wind zu, der ziellos durch die vertrockneten Gräser strich.

Als der Wind stärker wurde, nahm Alan unvermittelt sein Flugzeug und zerdrückte es in seinen Händen, Flügel, Rumpf und Fahrgestell. Riss die Reste in kleine Stücke und warf sie in den Wind. Die Fetzchen aus Papier und Holz zerstoben wie dürres, totes Laub. Die Räder waren noch übrig. Alan schleuderte sie auf die Landebahn hinaus.

»Naomi!«, schrie er.

Der Wind blies den Aufschrei zurück, der um ihn zerflatterte wie ein zerfetztes Tuch.

Dann warf er sich auf der Landebahn tief ins Gras. Und er weinte in den Boden hinein, weinte, bis die Erde selber vor Schmerz mitzubeben schien und seine Lippen verkrustete.